EXPLORANDO:
Affective
Learning Activities
for Intermediate Practice
in Spanish

Clay Benjamin Christensen
San Diego State University

With Illustrations By *Nonie McKinnon*

EXPLORANDO:
Affective
Learning Activities
for Intermediate Practice
in Spanish

PRENTICE-HALL, INC., *Englewood Cliffs, New Jersey* 07632

Library of Congress Cataloging in Publication Data

CHRISTENSEN, CLAY BENJAMIN.
    Explorando: affective learning activities for
intermediate practice in Spanish.

    In Spanish, with pref. and other editorial matter in
English.
    Includes index.
    1. Spanish language—Composition and exercises.
2. Spanish language—Conversation and phrase books.
I. Title. II. Title: Affective learning activities
for intermediate practice in Spanish.
PC4420.C48   468'.2'421   76-20596
ISBN 0-13-295980-1

© 1977 by PRENTICE-HALL, INC.,
Englewood Cliffs, New Jersey 07632

Printed in the United States of America

10 9 8 7 6 5 4 3 2 1

PRENTICE-HALL INTERNATIONAL, INC., *London*
PRENTICE-HALL OF AUSTRALIA, PTY. LTD., *Sydney*
PRENTICE-HALL OF CANADA, LTD., *Toronto*
PRENTICE-HALL OF INDIA PRIVATE LIMITED, *New Delhi*
PRENTICE-HALL OF JAPAN, INC., *Tokyo*
PRENTICE-HALL OF SOUTHEAST ASIA (PTE.) LTD., *Singapore*
WHITEHALL BOOKS LIMITED, *Wellington, New Zealand*

To Marty...
with Affection

CONTENTS

PREFACE   *ix*

SECTION I
    SITUATION MODEL   *1*

    OPEN-ENDED SENTENCE MODEL   *118*

    PREFERENCE-RANKING MODEL   *197*

    INTERVIEW MODEL   *239*

SECTION II
    PUBLIC OPINION MODEL   *265*

    CRAZY SENTENCE MODEL   *269*

    MINI-POEM MODEL   *272*

    DIALOG MODEL   *278*

PREFACE

This is a book of Affective Learning Activities (ALA). The activities are designed to stimulate students' creative and imaginative thought. As students' affective thought is expressed, it is harnessed by ALA models and used as lesson content for continuing language practice. Since the content originates from the students, it generates an interesting medium in which to practice the language. Here, what is meant by *affective* is the set of personal experiences, values, feelings, opinions, interests, imaginings, and fantasies already stored in an individual's mind. ALA models are intended to put students' affective thought to use as lesson content for interesting language practice.

There are two central domains involved in language learning: the cognitive and the affective. Here, *cognitive* refers to information outside the personal experience of the learner, which the learner somehow has to internalize to understand. All objective information about the learner's external world and how that world functions represents much of the cognitive domain. The cognitive is essential to learning. Traditionally, textbooks and methods of teaching have fallen into the cognitive domain. Our textbooks are filled with cognitive information that students perceive, scrutinize, memorize, analyze, or intellectualize in order to internalize (learn) it. Teachers, therefore, usually follow a basic text of some sort to develop the course. The text is generally sequenced and provides a useful course guide.

In contrast to the cognitive domain, however, the affective domain provides a more interesting medium for focusing attention on specific language structures. The affective domain already is a part of the learner. It is as much a part of the learner as it is of the poet, humorist, thinker, or teacher. Students possess creative potential, and, in contrast to the text, which consists of a finite amount of content, they bring to the classroom an infinite amount of potential lesson content. They have feelings, values, personal experiences and opinions, imaginings, and fantasies; they have a complex system of symbols, which, if tapped, could stimulate more interesting language practice. The learner's affective side is now considered a rich area from which teachers may glean lesson material to generate stimulating and satisfying practice in the target language.

This is a book of models. The models are called Affective Learning Activities.[1] In one class period, a teacher may use perhaps two or three different models for focusing attention on a specific language structure or theme. The different models utilized on any given day are to be co-mingled with the regular cognitive material to maintain a balanced variety of learning activities. It is suggested that teachers use a wide variety of models throughout the year. Since the practice items in this book are not arranged in a rigorously planned sequence, teachers may pick and choose any item of any model, depending on which language structure or skill they wish students to practice.

There is a variety of ways in which ALA may be used. First, it may be used as "warm-up" material. At the beginning of a class period, for example, a teacher can immediately write an open-ended sentence on the chalkboard and, thus, facilitate a quick entrance into the students' affective domain. Or, ALA may be used at the end of the hour to terminate a class period on a stimulating note. In addition, these models may be employed at any time during the period when a change of pace is desired. On a different plane, ALA may be used to *preview* any upcoming structure, *review* any language element already discussed, or focus a *view* on any structure currently under consideration.

This book contains eight different ALA models, divided into two main sections. Section 1 contains many examples of the first four models: *Situations, Open-Ended Sentences, Preference Rankings,* and *Interviews.* Section 2 consists of four other models: *Public Opinion, Crazy Sentence, Mini-Poem,* and *Dialog.* There are no lengthy sets of examples for these last four models. What is given in Section 2 is a description of what each of these four ALA models is designed to do and how each is implemented.

Taken all together, ALA models are designed to promote practice in all four language skills. The materials in this book foster the skills of listening, speaking, and writing more than the reading skill. Presumably, your basic course text provides sufficient reading matter. Yet, despite the paucity of lengthy reading material in this book, the *Situation* model does offer interesting, perhaps

---

[1]For a detailed discussion of this topic, see Christensen, Clay B., "Affective Learning Activities (ALA)," *Foreign Language Annals,* Vol. 8, No. 3 (Oct. 1975), pp. 211–219.

even scintillating, vignettes of material to spur interest in developing the reading skill.

By its very nature, affective content commands attention. Perhaps any material which focuses on our fantasies, imagination, values, feelings, personal opinions, or interests aids in placing our concentration on that material. ALA models, when presented by certain techniques, foster a favorable student attitude and learning atmosphere in the language classroom; it seems to be an efficient medium for placing and maintaining the learner's attention on specific language structures and skills.

The individual activities of Section I contain specific language structures. These structures are briefly stated in the *Focus*. The Focus is given to guide the learner's awareness of the specific language structures involved in the activity. Built into each activity, however, are other language structures (verbs, phrases, tenses, specific vocabulary, etc.) that are not mentioned in the Focus. If desired, the teacher may point these other structures out to the students. The focal structures include a wide array of grammatical elements. The selection of structures presented here has been designed with two objectives: (1) to provide certain grammatical structures that contrast with English, such as *por* and *para*, the subjunctive, the preterite and imperfect past tenses, and *ser* and *estar*, and (2) to practice many structures that are treated less frequently in first year texts.

The book is directed mainly to the intermediate level of language learning. It can, however, be used at a more elementary level or at a more advanced level. This is so, because it is the learners who provide the input, which will be as elementary or developed as the proficiency of the learners permits.

The ALA approach is unique, because the practice content comes from the learners. Throughout the 1960s one main methodology was imposed on learners. All the content they were to learn was cognitive—dialogs and drill exercises outside the personal experience of the learner. The teaching profession tried to impose one solution on all learners. Now we are learning that we must rethink the problem. In ALA we have the chance to change the "whole thing," not just the pieces. ALA is an attempt to elicit content (i.e., content used for practicing language structures) from individual students. The students create the content; the teacher harnesses it; and together, by means of ALA, they "work" it to practice the language.

It has been demonstrated that ALA motivates in at least three ways: (1) through the interest learners develop as they anticipate the creative responses of their peers, (2) through the personal satisfaction students receive as they employ their own resources for creating novel thoughts and comments, and (3) through the trust they develop toward the teacher as they perceive that the teacher accepts their responses and uses them for content in practicing the specific language structures.

This book is a beginning and hopefully will encourage more affective language material to be produced. It is the form which thus far has developed out of recent years of classroom trial and testing. I am indebted to my students at San Diego State University whose responses to these materials have kindled my interest in their further development. I wish to express appreciation to Adriana Fernández and Mildred Maldonado Freeland for their helpful suggestions and assistance in reviewing large segments of the text. Special acknowledgement goes to Leslie Malek, Liz García, Nancy Nash, Virginia Martin, and Esperanza Sánchez for their part in preparing portions of the manuscript. My special thanks go to Gustavo Segade whose sensitivity and insight into the affective domain have helped nourish my own thoughts in this area.

C.B.C.
San Diego, CA.

EXPLORANDO:
Affective
Learning Activities
for Intermediate Practice
in Spanish

SECTION I

SITUATION MODEL

Structural Focus: present tense of any verb + verb phrase

Situación: Supongamos que usted está caminando solo por la playa. De repente usted ve una gran caja mágica muy bonita. Con curiosidad, usted abre la caja. ¿Qué pasa? Nombre(n) usted(es) unas cosas que pasan cuando abre(n) la caja.

Ejemplos: Cuando abro la caja mágica, *descubro petróleo.*
Cuando abro la caja mágica, *veo a mi madre sentada en un montón de dinero.*

Oración: Cuando abro la caja mágica, _____

_____

_____

_____

Ejercicios: X, cuando Y abre la caja mágica, ¿qué pasa?

¿Quién dice que cuando abre la caja mágica, _____?

Z, ¿qué dice Y?

Z, de estas cosas, ¿qué pasa cuando usted abre la caja?

Y, de estas cosas, ¿qué pasa cuando nosotros la abremos?

Y, X dice que _____. ¿Cierto o falso?

The situations contained in this section have been designed to spark your interest and encourage you to respond creatively. A situational setting may incorporate elements from the real world or from fantasy. It may be expressed in serious or humorous language. Usually the setting begins with "Let's suppose . . ." or "You are . . ." to help you identify quickly with the situation. The last sentence of the situational setting states what you are to do and incorporates the language structure your teacher wants you to practice. The last line of the situation reflects the idea that for an in-class activity, your teacher will address the whole class (*ustedes*) and that for outside writing activities, the situation addresses you, the individual student (*usted*). The purpose of this model is to help you associate immediately with a situation and respond to it creatively.

IMPLEMENTATION

A situation activity may be approached in two basic ways: as a verbal activity in class or as a writing assignment outside of class. In class, your teacher will narrate (or paraphrase) the situation and on the chalkboard write the open sentence with, say, five blank lines. Before you begin volunteering your thoughts, your teacher will provide two examples to aid you in expressing your ideas. The examples may reflect any of the affective themes: they may be serious or humorous; they may incorporate values or feelings; or they may reflect very imaginative thoughts or elements of your fantasy world. Often it will be beneficial for you to repeat the two examples in chorus. The repetition provides a warm-up to the activity of inventing and volunteering responses to fill in the blanks of the open sentence. Here are some spontaneous responses actually created in a Spanish class:

> Cuando abro la caja mágica, *sale el diablo.*
> *veo a mi novio con otra chica.*
> *descubro otra caja mágica.*
> *encuentro mucho dinero.*
> *descubro mi propio esqueleto.*

Actual responses made by Spanish learners.

Your responses will form a mini-lesson which you and your teacher will use in a follow-up exercise of questions to practice the structure stated in the *Focus.*

After writing your ideas in the five blanks, your teacher will engage you in a controlled conversation by asking questions exemplified by those under the heading *Ejercicios.* These questions are not all-inclusive nor is your teacher restricted to them. They are only guides. Their purpose is to foster a rapidly paced conversation of short questions and answers. The *X*, *Y*, and *Z* symbolize students' names. One common question is: "*Z*, de estas cosas, ¿ . . .?" The phrase "de estas cosas," refers to your volunteered responses which your teacher has written on the chalkboard. *Z* will then select one of those items and answer the question. After the activity has run its course for about ten minutes, your teacher may assign the same situation as an outside writing activity.

The second approach initially assigns a situation as an outside writing activity. You invent ideas and write them in the four blanks. That is, you finish the open sentence with four different endings. During the following class period, your teacher may call on five of you to offer one of your sentences. The teacher may write these ideas on the chalkboard in order to record them for further verbal practice through the use of the questions in the *Ejercicios*. You will also write these volunteered sentences in your notebooks. By recording them in your notebooks after the chalkboard has been erased, you will be able to remember who volunteered the ideas. Then, when your teacher asks questions (e.g., *X*, what does *Y* say?), you can respond accurately.

Because verbal participation is essential in a language class, you will be encouraged to communicate in Spanish as much and as often as you can. When you have a "terrific" idea, however, and cannot articulate it in Spanish, your teacher will encourage you to express it in English. The teacher will write a translation of it in a blank space of the open sentence. If highly technical words are needed for a translation, your teacher may choose a specific student to find the information in a dictionary. While the student searches for the word, your teacher will continue eliciting other responses for the open-sentence.

In responding to the open-end sentences, your ideas will mostly be spontaneous and "unprogrammed." As you and your teacher work with the situations, you will learn many new words. Unless you keep notes by writing the other students' responses into your notebook, undoubtedly you risk losing this new vocabulary. Words are like building blocks. You use them to make concrete statements and solid expressions of thought. Learn as much vocabulary as you can. Practicing the language through the various situations in this book may facilitate your development of useful vocabulary. It will help you become even more expressive as you use more of these materials throughout the course.

Focus: impersonal phrase + infinitive phrase

Supongamos que hay ciertas actividades que son necesarias hacer en la vida. Algunas personas creen que es necesario trabajar. Otras creen que es necesario ser creativo. Otras personas aun creen que es necesario practicar yoga. Nombre(n) usted(es) unas cosas que cree(n) que son necesarias hacer.

Ejemplos: Es necesario *planear con anticipación.*
               Es necesario *ser número uno.*

Oración: Es necesario _____

              _____

              _____

              _____

Ejercicios: ¿Quién dice que es necesario _____ ?
                X, ¿qué dice Y?
                Z, de estas cosas, ¿cuál es necesario hacer?
                Y, X dice que es necesario _____. ¿Cierto o falso?

Focus: possession with *de* + person

Supongamos que usted está caminando cerca de un cementerio en la noche. Se oyen voces como las de fantasmas. Su imaginación se pone excitada. Diga(n) de quién cree(n) usted(es) que son las voces.

Ejemplos: Creo que las voces son de *mis amigos.*
               Creo que las voces son de *Frankenstein.*

Oración: Creo que las voces son de _____

              _____

              _____

              _____

Ejercicios: ¿De quién cree X que son las voces?
                ¿Quién cree que las voces son de _____?
                X, ¿qué dice Y?
                X, de estas cosas, ¿de quién creemos que son las voces?
                Z, de estas personas, ¿de quién cree usted que son las voces?

Focus: adverbs that end in *-mente*

Cuando usted hace algo, hay ciertas maneras en que característicamente lo hace, como por ejemplo, impulsivamente, descuidadamente, cuidadosamente, incompletamente, suavemente, etc. Nombre(n) usted(es) algunas maneras en que normalmente hace(n) sus cosas.

Ejemplos: Normalmente hago cosas *perceptivamente.*
              Normalmente hago cosas *rápidamente.*

Oración: Normalmente hago cosas _____

              _____

              _____

              _____

Ejercicios: ¿Quién hace las cosas _____?
              X, ¿cómo hace Y las cosas?
              Y, ¿qué dice X?
              Z, de estas formas, ¿cómo hace usted las cosas?
              Y, X hace las cosas _____. ¿Cierto o falso?

Focus: single verb, present tense

Usted está caminando por un bosque mágico. En este bosque usted puede ver cualquier cosa del mundo. Puede ver dinosaurios, cohetes, teléfonos televisivos, o flores que hablan en lenguas extranjeras. Nombre(n) unas cosas que ve(n) en este bosque mágico.

Ejemplos: Veo *arañas y víboras bailadoras.*
              Veo *hongos que caminan.*

Oración: Veo _____

              _____

              _____

              _____

Ejercicios: ¿Qué ve X?
              ¿Quién ve_____?
              X, ¿qué ve Y?
              Z, de estas cosas, ¿qué vemos nosotros?
              Y, X ve_____. ¿Cierto o falso?

Focus: single verb, present tense

Supongamos que usted ahora está en la tierra de fantasía. Usted va a la fiesta anual del rey. Todo el mundo tiene que llevar un regalo de sorpresa. Usted desea llevar un buen regalo de sorpresa. Nombre(n) las cosas que lleva(n) a la fiesta.

Ejemplos: Llevo *una pluma dorada de avestruz.*
              Llevo *una bicicleta de cien velocidades.*

Oración: Llevo _____

              _____

              _____

              _____

Ejercicios: ¿Qué lleva *X*?
                ¿Quién lleva un(a)_____ ?
                X, de estas cosas, ¿qué llevamos nosotros?
                Z, de estas cosas, ¿qué lleva usted?
                Y, *X* lleva _____. ¿Cierto o falso?

Focus: two verbs

Digamos que usted acaba de ver que un amigo suyo ha robado algo en un mercado. Le parece muy mal a Ud. Nombre(n) unas cosas que usted(es) puede(n) hacer sobre el asunto.

Ejemplos: Puedo *decirle que lo devuelva.*
Puedo *llamar a la policía.*

Oración: Puedo _____

_____

_____

_____

Ejercicios: ¿Qué puede hacer *X*?
¿Quién puede _____?
X, ¿qué podemos hacer nosotros?
Y, ¿qué dice *X*?
Z, de estas cosas, ¿qué puede hacer usted?
Y, *X* puede _____. ¿Cierto o falso?

Focus: two verbs

Supongamos que sus amigos vendrán por usted en media hora. Pero en estos momentos usted tiene dolor de cabeza. Tiene muchos deseos de ir con sus amigos, pero primero tiene que aliviarse del dolor de cabeza. Nombre(n) unas cosas que puede(n) hacer usted(es) para aliviarse del dolor de cabeza.

Ejemplos: Puedo *meditar.*
Puedo *bañarme en agua caliente.*

Oración: Puedo _____

_____

_____

_____

Ejercicios: ¿Qué puede hacer *X*?
Y, ¿qué puede hacer *X*?
Z, ¿qué dice *Y*?
¿Quién puede _____?
Z, de estas cosas, ¿qué puede hacer usted?

Focus: two verbs

Vamos a suponer que usted está subiendo las montañas con un amigo. De repente, ven un oso grande a una distancia de más o menos cien metros. Nombre(n) usted(es) unas cosas que debe(n) hacer o no debe(n) hacer.

Ejemplos: Debemos *quedarnos quietos.*
No debemos *gritar.*

Oración: Debemos _____

_____

_____

_____

Ejercicios: ¿Qué deben hacer *X* y su amigo?
¿Quiénes deben _____ ?
X, ¿qué deben hacer *Y* y su amigo?
Z, ¿qué dice *X*?
Z, de estas cosas, ¿qué deben hacer Ud. y su amigo?

Focus: two verbs

Supongamos que usted tiene una varita mágica. Usted emplea la varita para hacer cosas extraordinarias. Usted no puede hacer estas cosas sin la varita. Nombre(n) las cosas que puede(n) hacer con la varita mágica.

Ejemplos: Con la varita mágica, puedo *hacerme invisible.*
Con la varita mágica, puedo *parar la lluvia.*

Oración: Con la varita mágica, puedo _____

_____

_____

_____

Ejercicios: ¿Quién puede _____ con la varita mágica?
X, ¿qué dice *Y*?
X, de estas cosas, ¿qué podemos hacer?
Z, de estas cosas, ¿qué puede hacer usted?
Y, con la varita mágica, *X* puede _____. ¿Cierto o falso?

Focus: two verbs, *pensar* + infinitive verb (intend to + verb)

Supongamos que ha ocurrido una explosión hace un momento en el segundo piso de un edificio comercial de cuatro pisos. Usted está atrapado(a) en el cuarto piso. Nombre(n) usted(es) unas cosas que piensa(n) hacer para salvarse.

Ejemplos: Pienso *saltar por la ventana.*
Pienso *esperar socorro.*

Oración: Pienso _____

_____

_____

_____

Ejercicios: ¿Qué piensa hacer *X*?
¿Quién piensa _____?
X, ¿qué dice *Y*?
Z, de estas posibilidades, ¿qué piensa hacer usted?
X, de estas cosas, ¿qué pensamos hacer?
Y, *X* piensa _____. ¿Cierto o falso?

Focus: two verbs, *pensar* + infinitive verb (intend to + verb)

Supongamos que usted se ha ganado la lotería. Pero usted tiene poco tiempo para ir a identificarse como el ganador. Su coche no funciona y ningún amigo puede llevarlo/la. ¿Qué piensa hacer usted ahora? Nombre(n) usted(es) unas cosas que piensa(n) hacer.

Ejemplos: Pienso *llamar a un taxi.*
Pienso *ir en bicicleta.*

Oración: Pienso _____

_____

_____

_____

Ejercicios: ¿Qué piensa hacer *X*?
¿Quién piensa _____?
X, ¿qué piensa hacer *Y*?
Y, ¿qué dice *X*?
Z, de estas cosas, ¿qué piensa hacer usted?
Y, ¿piensa usted _____ o _____?

Focus: two verbs

Supongamos que usted está caminando delante de una escuela por la noche y oye ruidos. Usted descubre que hay vándalos que están destruyendo el interior de la escuela. Usted sabe que debe hacer algo. Nombre(n) usted(es) unas cosas que debe(n) hacer.

Ejemplos: Debo *llamar a la policía.*
              Debo *gritarles que salgan de la escuela.*

Oración: Debo _____

_____

_____

_____

Ejercicios: ¿Qué debe hacer *X*?
                ¿Quién debe _____?
                X, ¿qué debe hacer *Y*?
                Z, ¿qué dice *X*?
                X, de estas cosas, ¿qué debemos hacer nosotros?
                Z, de estas cosas, ¿qué debe hacer usted?

Focus: two verbs

Supongamos que vivimos en una sociedad construida y controlada por las mujeres. Los hombres se ven oprimidos en su papel de amo de casa. En la vida, los hombres quieren hacer más que las tareas caseras y cuidar a los niños. Nombre(n) unas cosas que los hombres quieren hacer.

Ejemplos: Los hombres quieren *hablar de ideas intelectuales.*
              Los hombres quieren *trabajar en el mundo profesional.*

Oración: Los hombres quieren _____

_____

_____

_____

Ejercicios: ¿Qué dice *X* que quieren los hombres?
                ¿Quién dice que los hombres quieren _____?
                X, ¿qué dice *Y*?
                Z, de estas cosas, ¿qué piensa usted que quieren los hombres?
                Y, *X* dice que los hombres quieren _____. ¿Cierto o falso?

Focus: two verbs

Supongamos que usted es un gran director cinematográfico. Usted ahora piensa hacer unas películas nuevas. Nombre(n) usted(es) algunas películas nuevas que usted(es) piensa(n) hacer.

Ejemplos: Pienso hacer una película sobre *los estudiantes en el espacio.*
Pienso hacer una película sobre *el mercado internacional de valores.*

Oración: Pienso hacer una película sobre _____

_____

_____

_____

Ejercicios: ¿Quién piensa hacer una película sobre _____?
X, ¿qué dice Y?
Z, de todas estas cosas, ¿sobre qué tema piensa usted hacer una película?
Y, X piensa hacer una película sobre _____. ¿Cierto o falso?

Focus: two verbs

Usted está intentando experimentar la libertad personal y total en su vida. Para lograr este punto en su vida, usted se da cuenta de que tiene que obtener ciertas cosas o hacer ciertas cosas que ahora no tiene o no hace. Nombre(n) usted(es) algunas cosas que necesita(n) obtener o hacer.

Ejemplos: Para ganar la libertad personal, necesito *estudiar más.*
Para ganar la libertad personal, necesito *aislarme.*

Oración: Para ganar la libertad personal, necesito _____

_____

_____

Ejercicios: ¿Quién necesita _____?
X, ¿qué dice Y?
X, de estas cosas, ¿qué necesitamos?
Z, de todas estas cosas, ¿qué necesita usted?
Y, X necesita _____. ¿Cierto o falso?

Focus: *tener que* + single verb + direct object

Supongamos que usted está muy delgado(a). El médico dice que tiene que comer mucho más. Nombre(n) unas cosas que tiene(n) que comer.

Ejemplos: Tengo que comer *la carne asada de elefante.*
             Tengo que comer *ocho docenas de pasteles.*

Oración: Tengo que comer _____

            _____

            _____

            _____

Ejercicios: ¿Quién tiene que comer _____ ?
              X, ¿qué tiene que comer Y?
              Z, ¿qué dice X?
              X, de estas cosas, ¿qué tenemos que comer?
              Z, de estas cosas, ¿qué tiene que comer usted?
              Y, ¿tiene usted que comer _____ o _____ ?

Focus: preterite tense—only one single past action + any verb

---

Durante su niñez usted hizo algunas cosas interesantes con su familia. Nombre(n) usted(es) unas cosas interesantes que hizo(hicieron) una vez con su familia.

Ejemplos: Una vez *fuimos a Puerto Rico por un mes.*
             Una vez *construimos una casita en un árbol.*

Oración: Una vez nosotros _____

            _____

            _____

            _____

Ejercicios: ¿Quién _____ ?
              X, ¿qué hizo Y con su familia?
              Y, ¿qué dice X?
              Z, de estas cosas, ¿qué hizo usted una vez con su familia?
              Y, una vez X _____. ¿Cierto o falso?

Focus: preterite tense of *comer*

Supongamos que ayer fue el primero de abril. Anoche usted fue a un gran banquete para celebrar el día de las bromas. Nombre(n) usted(es) algunas cosas locas que comió(comieron) en el banquete.

Ejemplos: En el banquete, comí *zanahorias de goma.*
En el banquete, comí *pasteles de cartón.*

Oración: En el banquete, comí _____

_____

_____

_____

Ejercicios: ¿Qué comió *X* en el banquete?
¿Quién comió _____ en el banquete?
X, ¿qué comió *Y*?
Y, ¿qué dice *X*?
X, de estas cosas, ¿qué comimos nosotros?
Z, de estas cosas, ¿qué comió Ud. en el banquete?
Y, *X* comió _____. ¿Cierto o falso?

Modificaciones: This situation can be modified to include other verbs:

cosas que *hizo* en el banquete
cosas que *vio* en el banquete
cosas que *oyó* en el banquete
cosas que *dijo* en el banquete, etc.

Focus: preterite tense of *estar*

Ayer hubo un robo. Usted no lo hizo, pero la policía le está interrogando a usted en la oficina central de policía. Diga(n) dónde usted(es) y sus amigos estuvieron ayer a las diez de la noche.

Ejemplos: A las diez anoche estuvimos *en un cine.*
A las diez anoche estuvimos *bailando en una discoteca.*

Oración: A las diez anoche estuvimos _____

_____

_____

_____

Ejercicios: ¿Dónde estuvo *X* anoche a las diez?
¿Quién estuvo _____ anoche a las diez?
X, ¿dónde estuvo *Y* a las diez?
Y, ¿qué dice *X*?
Z, de estos lugares, ¿dónde estuvo usted a las diez?

Focus: preterite tense of *ser*

Supongamos que usted cree en la reincarnación. Usted tuvo otra vida antes de esta vida actual. En una vida anterior usted fue otra cosa. Nombre(n) usted(es) qué cosas o personas fue(ron) en una vida anterior.

Ejemplos: En una vida anterior yo fui *un elefante rosado.*
En una vida anterior yo fui *un árbol de plátanos.*

Oración: En una vida anterior yo fui _____

_____

_____

_____

Ejercicios: ¿Qué fue *X* en una vida anterior?
¿Quién dice que en una vida anterior él/ella fue _____?
Z, ¿qué dice *X*?
Z, de estas cosas, ¿qué fuimos nosotros en otra vida?
Y, X fue _____. ¿Cierto o falso?
Y, ¿fue usted _____ o _____?

Focus: preterite tense of *ser*

Supongamos que la semana pasada usted fue mago por un día. Con sus poderes mágicos usted cambió a ciertas personas en diferentes cosas. Nombre(n) usted(es) a unas personas y diga(n) qué cosas esas personas fueron la semana pasada.

Ejemplos: *El torero* fue *un toro.*
              El carnicero fue *una chuleta de cerdo.*

Oración: _____ fue _____

             _____   _____

             _____   _____

             _____   _____

Ejercicios: ¿Qué fue el/la _____?
                ¿Quién fue _____?
                X, ¿qué fue *Y?*
                Y, ¿qué dice *X?*
                X, de estas cosas, ¿que fuimos nosotros?
                Z, de estas cosas, ¿qué fue usted?

Focus: preterite tense of *poner* + direct object pronoun + adverbial phrases of place

Supongamos que usted es un espía internacional que trabaja en un asunto delicado para evitar que dos países entren en una guerra. La policía detiene a usted y cree que usted escondió su valija, lo cual es verdad. Usted trata de convencerles que usted sólo es turista y que usted puso la valija en otro lugar. Nombre(n) unos lugares donde puso (pusieron) la valija.

Ejemplo: La puse *en el guardarropas.*

Oración: La puse _____

             _____

             _____

             _____

Ejercicios: ¿Dónde la puso *X?*
                ¿Quién la puso _____?
                Z, de estos lugares, ¿dónde la puso usted?
                Y, X la puso _____. ¿Cierto o falso?

Focus: preterite tense of *resultar* (to turn out, result)

Supongamos que usted es un gran mago. Usted es la única persona que puede dar consejos. Ayer usted dio muchos consejos. Diga(n) usted(es) cómo resultaron sus consejos.

Ejemplos: Mi consejo resultó *bastante justo*.
Mi consejo resultó *cursi*.

Oración: Mi consejo resultó _____

_____

_____

_____

Ejercicios: ¿Cómo resultó el consejo de *X*?
¿Quién dio el consejo que resultó _____?
X, ¿cómo resultó el consejo de *Y*?
Y, ¿qué dice *X*?
Z, de estos resultados, ¿cómo resultó su consejo?
Y, el consejo de *X* resultó _____. ¿Cierto o falso?

Focus: preterite tense of *saber*
(found out, knew for the first time)

Dé(n) algunas edades posibles de cuántos años tenía(n) cuando supo(supieron) por primera vez la diferencia entre niñas y niños.

Ejemplos: Tenía *tres* años cuando supe la diferencia.
Tenía *quince* años cuando supe la diferencia.

Oración: Tenía _____ años cuando supe la diferencia.

_____

_____

_____

Ejercicios: ¿Quién tenía _____ años cuando supo la diferencia?
X, ¿qué dice *Y*?
X, de estas edades, ¿cuántos años teníamos cuando supimos la diferencia?
Z, entre estas edades, ¿cuántos años tenía usted cuando supo la diferencia?
Y, *X* tenía _____ años cuando supo la diferencia. ¿Cierto o falso?

Focus: preterite tense of *saber*

Todos los días sabemos algo nuevo. Es decir, sabemos algo por primera vez. Ayer, usted supo algo nuevo. Nombre(n) usted(es) unas cosas que supo (supieron) por primera vez ayer.

Ejemplos: Ayer supe *el número de teléfono de María.*
              Ayer supe *que ocurrió un robo.*

Oración: Ayer supe _____

              _____

              _____

              _____

Ejercicios: ¿Qué supo *X* ayer?
               ¿Quién supo _____?
               X, ¿qué supo *Y* ayer?
               Y, ¿qué dice *X*?
               Z, de estas cosas, ¿qué supo usted ayer?
               Y, *X* supo _____. ¿Cierto o falso?

Focus: preterite tense of *conocer* (met)

¿Quiénes son sus mejores amigos(as)? Piense usted en dónde y cuándo conoció a sus amigos(as). Diga(n) usted(es) dónde y cuándo conoció (conocieron) a sus amigos(as) por primera vez.

Ejemplos: Conocí a un amigo en *la playa el otoño pasado.*
              Conocí a una amiga en *la escuela secundaria en 1969.*

Oración: Conocí a un(a) amigo(a) en _____

              _____

              _____ ___

              _____

Ejercicios: ¿Cuándo (dónde) conoció *X* a un(a) amigo(a)?
               ¿Quién conoció a un(a) amigo(a) en _____?
               X, ¿qué dice *Y*?
               X, de estos lugares, ¿dónde conocimos a nuestro amigo?
               Z, de estos lugares, ¿dónde conoció usted a un(a) amigo(a)?
               Y, *X* conoció a un(a) amigo(a) _____. ¿Cierto o falso?

Focus: preterite tense of *poder*

Supongamos que ayer usted pudo hacer algo con un(a) amigo(a). Es decir, usted lo hizo con su amigo(a). Nombre(n) usted(es) unas cosas que pudo (pudieron) hacer con su amigo(a) ayer.

Ejemplos: Ayer pude *llegar a la escuela a tiempo.*
Ayer pude *terminar mis tareas con mi amigo.*

Oración: Ayer pude _____

_____

_____

_____

Ejercicios: ¿Qué pudo hacer *X* ayer?
¿Quién pudo _____ ayer?
X, ¿qué pudo hacer *Y* ayer?
Z, ¿qué dice *X*?
X, de estas cosas, ¿qué pudimos hacer ayer?
Z, de estas cosas, ¿qué pudo hacer usted ayer con su amigo?

Focus: two verbs + preterite tense

Supongamos que usted es un perrito llamado Snoopy. Usted cree que puede hacer cualquier cosa que quiera. Ayer usted pudo hacer unas cosas muy interesantes. Nombre(n) usted(es) las cosas que pudo(pudieron) hacer ayer.

Ejemplos: Ayer pude *volar en un avión antiguo.*
Ayer pude *patinar sobre hielo con mis amigos.*

Oración: Ayer pude _____

_____

_____

_____

Ejercicios: ¿Qué pudo hacer *X*?
¿Quién dice que pudo _____?
X, ¿qué dice *Y*?
X, de estas cosas, ¿qué pudimos hacer nosotros?
Z, de estas cosas, ¿qué pudo hacer usted?

Focus: preterite tense of any verb

Vamos a suponer que anoche usted fue a una cita interesantísima. Ahora usted está explicando a un amigo lo que pasó anoche. Diga(n) unas cosas interesantes que usted(es) y su amigo(a) hicieron anoche.

Ejemplos: Anoche *fuimos al lago a nadar.*
             Anoche *vimos una obra de teatro.*

Oración: Anoche (nosotros)_____

_____

_____

_____

Ejercicios: ¿Qué hicieron *X* y su amigo(a)?
            ¿Quién _____?
            X, ¿qué hizo *Y*?
            Y, ¿qué dijo *X*?
            X, de estas cosas, ¿qué hicimos nosotros anoche?
            Z, de estas cosas, ¿qué hizo usted anoche?
            Y, *X* _____? Cierto o falso?

Focus: preterite tense of a single verb

El acto de creatividad nos ayuda a revitalizar el deseo de ser activos. Usted probablemente ha creado algo. Nombre(n) usted(es) algunas cosas creativas que hizo(hicieron) recientemente que le(s) dieron satisfacción.

Ejemplos: *Escribí una composición.*
            Planté un jardín en casa.

Oración: (Yo) _____

_____

_____

_____

Ejercicios: ¿Quién _____?
            X, ¿qué hizo *Y*?
            Y, ¿qué dijo *X*?
            X, de estas cosas, ¿qué hicimos nosotros?
            Z, de estas cosas, ¿qué hizo usted?
            Y, *X* _____. ¿Cierto o falso?

Focus: two verbs + preterite tense

Ayer usted quiso hacer algo y lo hizo. Es decir, no sólo quería hacerlo, sino que lo hizo. Nombre(n) usted(es) las cosas que quiso(quisieron) hacer y las hizo (hicieron).

Ejemplos: Quise *comer una ensalada.* (y lo hice)
Quise *visitar a un amigo.* (y lo hice)

Oración: Quise _____

_____

_____

_____

Ejercicios: ¿Quién quiso _____ ?
X, ¿qué quiso hacer *Y*?
Y, ¿qué dijo *X*?
X, de estas cosas, ¿qué quisimos hacer (y lo hicimos)?
Z, de estas cosas, ¿qué quiso hacer usted?
Y, *X* quiso _____. ¿Cierto o falso?

Focus: imperfect tense

Supongamos que usted era un disc jockey en KPOP. Ahora usted trata de conseguir otro empleo. Usted le explica al jefe lo que usted hacía cuando era disc jockey. Nombre(n) las cosas que usted(es) hacía(n) en su trabajo cuando era(n) disc jockey.

Ejemplos: (Yo) *tocaba discos.*
(Yo) *decía chistes por radio.*

Oración: (Yo) _____

_____

_____

_____

Ejercicios: ¿Qué hacía *X*?
¿Quién _____ ?
X, ¿qué dijo *Y*?
X, de estas cosas, ¿qué hacíamos nosotros?
Z, de estas cosas, ¿qué hacía usted?

Focus: imperfect tense of *poder*

Ayer usted tuvo la posibilidad de hacer algo, pero no lo hizo. Es decir, usted podía hacerlo, pero no lo hizo. Nombre(n) usted(es) unas cosas que podía(n) hacer ayer pero que no hizo(hicieron).

Ejemplos: Ayer podía *jugar al béisbol.*
            Ayer podía *bailar toda la noche.*

Oración: Ayer yo podía _____

            _____

            _____

            _____

Ejercicios: ¿Quién podía _____?
              X, ¿qué dice *Y*?
              X, de estas cosas, ¿qué podíamos hacer ayer?
              Z, de estas cosas, ¿qué podía hacer usted?
              Y, ayer *X* podía _____. ¿Cierto o falso?

Focus: imperfect tense of *comer*

De niño, había algunas cosas que no le gustaban a usted y que no comía. ¿Qué cosas no comía usted? Nombre(n) usted(es) las cosas que no comía(n) cuando era(n) niño(s).

Ejemplos: No comía *berengenas.*
            No comía *ostras.*

Oración: No comía _____

            _____

            _____

            _____

Ejercicios: ¿Qué no comía *X*?
              ¿Quién no comía _____?
              X, ¿qué dice *Y*?
              Z, de estas cosas, ¿qué no comía usted?
              Y, X no comía _____. ¿Cierto o falso?

Focus: imperfect tense of *visitar*

Antes, cuando Ud. era una persona más joven, había lugares que visitaba.
Nombre(n) usted(es) los lugares que usted(es) visitaba(n).

Ejemplos: Antes, yo visitaba *el jardin zoológico.*
Antes, yo visitaba *la corte del Rey Neptuno.*

Oración: Antes, yo visitaba _____

_____

_____

_____

Ejercicios: ¿Qué visitaba *X*?
¿Quién visitaba _____?
X, ¿qué dice *Y*?
X, de estos lugares, ¿cuál visitábamos nosotros?
Z, de estos lugares, ¿cuál visitaba usted?
Y, *X* visitaba _____. ¿Cierto o falso?

Focus: imperfect tense of *conocer* (used to know, be acquainted with)

Piense usted en los primeros años de su vida. Piense en los primeros amigos. Diga(n) usted(es) que cuando conocía(n) a esas personas, vivían o en una casa grande o en una casa pequeña.

Ejemplos: Cuando conocía a *Juanita*, vivía en una casa *grande*.
Cuando conocía a *Guillermo*, vivía en una casa *pequeña*.

Oración: Cuando conocía a _____ , vivía en una casa _____

_____   _____

_____   _____

_____   _____

Ejercicios: ¿Quién conocía a _____ ?
X, ¿a quién conocía Y?
X, ¿dónde vivía _____ cuando Y lo/la conocía?
Y, ¿qué dice X?
Z, de estas personas, ¿a quién conocía usted?
Y, X conocía a _____. ¿Cierto o falso?

Focus: imperfect tense of *saber* (used to know, knew)

Todos nosotros sabemos muchas cosas porque aprendimos estas cosas en el pasado. Como estas cosas son del pasado, también las sabíamos antes, en el pasado. Nombre(n) unas cosas que sabía(n) antes en el pasado.

Ejemplos: Yo sabía *que hay nueve planetas.*
Yo sabía *el nombre del primer presidente de los Estados Unidos.*

Oración: Sabía _____

_____

_____

_____

Ejercicios: ¿Qué sabía X?
¿Quién sabía _____ ?
X, ¿qué sabía Y?
Y, ¿qué dice X?
X, de estas cosas, ¿qué sabíamos nosotros?
Z, de estas cosas, ¿qué sabía usted?
Y, X sabía _____. ¿Cierto o falso?

Focus: imperfect tense of *saber* (to know how to . . .)

Piense(n) usted(es) en algo que hace(n) bien y diga(n) que sabía(n) o no sabía(n) hacerlo antes de los diez años.

Ejemplos: Antes de los diez años sabía *bailar*.
Antes de los diez años no sabía *hablar español*.

Oración: Antes de los diez años sabía (no sabía) _____

_____

_____

_____

Ejercicios: Antes de los diez años, ¿quién sabía _____ ?
X, ¿qué dice *Y*?
X, de estas cosas, ¿qué sabíamos hacer antes de los diez años?
Z, de estas cosas, ¿qué sabía hacer usted antes de los diez años?
Y, X sabía _____. ¿Cierto o falso?

Focus: imperfect tense

Cuando era más joven, usted participaba en ciertas actividades recreativas. Piense usted en esas actividades recreativas. Nombre(n) usted(es) unas cosas que hacía(n) cuando era(n) más joven(es).

Ejemplos: Cuando yo era más joven, *elevaba cometas*.
Cuando yo era más joven, *montaba caballos*.

Òración: Cuando yo era más joven, _____

_____

_____

_____

Ejercicios: ¿Quién _____ cuando era más joven?
X, ¿qué dice *Y*?
X, de estas cosas, ¿qué hacíamos nosotros?
Z, de estas cosas, ¿qué hacía usted?
Y, cuando *X* era más joven, _____. ¿Cierto o falso?

Focus: two verbs + imperfect tense of *querer*

De niño, usted quería hacer algo, pero en realidad no lo hizo. Nombre(n) usted(es) unas cosas que quería(n) hacer de niños.

Ejemplos: Quería *viajar hasta Europa.*
Quería *dormir todos los días.*

Oración: Quería _____

_____

_____

_____

Ejercicios: ¿Quién quería _____?
X, ¿qué quería hacer Y?
Y, ¿qué dice X?
X, de estas cosas, ¿qué queríamos hacer nosotros?
Z, de estas cosas, ¿qué quería hacer usted?
Y, X quería _____. ¿Cierto o falso?

Focus: two verbs + imperfect tense

Cuando niño, usted imaginaba lo que quería hacer cuando llegara a ser adulto. Nombre(n) usted(es) las cosas que quería(n) hacer como adulto(s).

Ejemplos: Cuando niño(a), quería *ser bombero.*
Cuando niño(a), quería *pilotear aviones.*

Oración: Cuando niño(a), quería _____

_____

_____

_____

Ejercicios: ¿Qué quería hacer X?
¿Quién quería _____?
X, ¿qué quería hacer Y?
Y, ¿qué dice X?
X, de estas cosas, ¿qué queríamos hacer?
Z, de estas cosas, ¿qué quería hacer usted?

Focus: imperfect tense

Supongamos que durante sus años de niñez y adolescencia usted hacía muchas cosas divertidas e interesantes con su familia. Nombre(n) usted(es) unas cosas que hacía(n) con su familia.

Ejemplos: (Nosotros) *íbamos a las montañas en plan de picnic.*
(Nosotros) *leíamos cuentos de fantasía.*

Oración: (Nosotros) _____

_____

_____

_____

Ejercicios: ¿Qué hacía *X* con su familia?
¿Quién _____?
X, ¿qué hacía *Y* con su familia?
Z, qué dice *X*?
Z, de estas cosas, ¿qué hacía usted con su familia?
Y, *X* _____ con su familia. ¿Cierto o falso?

Focus: imperfect tense + preterite tense

Supongamos que usted estaba en la casa del doctor Frankenstein cuando de repente usted vio al monstruo. El monstruo hizo algunas cosas extrañas. Nombre(n) las cosas que hizo el monstruo mientras usted(es) estaba(n) en la casa.

Ejemplos: Mientras estaba en la casa de Frankenstein, *el monstruo estornudó.*
Mientras estaba en la casa de Frankenstein, *el monstruo me guiñó.*

Oración: Mientras estaba en la casa de Frankenstein, el monstruo

_____

_____

_____

_____

Ejercicios: ¿Qué dice *X* que hizo el monstruo?
¿Quién dijo que el monstruo _____?
Z, de estas cosas, ¿qué cree usted que hizo el monstruo?
Y, *X* dice que el monstruo _____. ¿Cierto o falso?

Focus: preterite tense + imperfect tense

Usted vio un O.V.N.I. (un objeto volador no identificado). Usted quiere dar testimonio a las autoridades de que vio el objeto, pero no está seguro(a) que las autoridades le van a creer. Usted quiere dar una buena explicación para que le crean. Explique(n) cómo era el objeto que vio(vieron).

Ejemplos: El objeto que vi era *verde y redondo.*
El objeto que vi era *lleno de luces.*

Oración: El objeto que vi era _____

_____

_____

_____

Ejercicios: ¿Qué vio *X*?
¿Quién vio el objeto que era _____ ?
X, ¿qué dice *Y*?
Z, de estas explicaciones, ¿qué vio usted?
Y, *X* vio _____. ¿Cierto o falso?

Focus: present progressive tense with . . . -*ndo*

Supongamos que en el día más caluroso del verano, usted es un campesino que está en cuclillas cosechando pepinos. Nombre(n) unas cosas que le(s) gustaría estar haciendo en vez de estar cosechando pepinos.

Ejemplos: Estoy *tomando una cerveza.*
Estoy *nadando en la playa.*

Oración: Estoy _____

_____

_____

_____

Ejercicios: ¿Quién dice que está (-*ndo*)?
X, ¿qué es lo que está haciendo *Y* ahora en vez de estar trabajando?
Z, ¿qué dice *X*?
Z, de estas cosas, ¿qué es lo que usted está haciendo?
Y, *X* está _____. ¿Cierto o falso?

Focus: present progressive tense

Vamos a suponer que usted tiene percepciones extrasensoriales. Usted sabe en qué están pensando otras personas. Nombre(n) usted(es) unas cosas en que estoy pensando en este momento.

Ejemplos: Usted está pensando en *tomar una bebida fría.*
Usted está pensando en *su mejor amigo.*

Oración: Usted está pensando en _____

_____

_____

_____

Ejercicios: ¿Quién dice que estoy pensando en _____?
X, ¿qué dice Y?
Z, de estas cosas, según usted, ¿en qué estoy pensando?
Y, X dice que estoy pensando en _____. ¿Cierto o falso?

Focus: present progressive tense

Supongamos que usted no está en clase ahora mismo. Está haciendo otra cosa ahora—cualquier cosa que quiera estar haciendo. Nombre(n) usted(es) unas cosas que está(n) haciendo ahora mismo y dónde las está(n) haciendo.

Ejemplos: Ahora mismo estoy *nadando en un lago.*
Ahora mismo estoy *comiendo ostras en las montañas.*

Oración: Ahora mismo estoy _____

_____

_____

_____

Ejercicios: ¿Qué está haciendo X ahora mismo?
¿Quién está . . .-ndo _____ ahora mismo?
X, ¿qué dice Y?
Z, de estas cosas, ¿qué está haciendo usted ahora mismo?

Focus: *-ndo* phrase + any verb and present tense

Supongamos que su novio o novia resulta ser una persona posesiva. Usted se ve como un esclavo o una esclava. Usted está molesto(a). Nombre(n) qué cosas hace(n) en esta situación.

Ejemplos: Viéndome como esclavo(a), (yo) *provoco una riña.*
Viéndome come esclavo(a), (yo) *tomo mis vacaciones solo(a).*

Oración: Viéndome como esclavo(a), (yo) _____

_____

_____

_____

Ejercicios: Viéndose como esclavo(a), ¿qué hace *X*?
¿Quién dice que _____?
Z, ¿qué dice *X*?
X, viéndonos como esclavos, ¿qué hacemos nosotros?
Z, de estas cosas, ¿qué hace usted?

Focus: verb *continuar* + a verb with *-ndo*

Todos tenemos hábitos. Es decir, hacemos cosas por hábito. Piense usted en unos hábitos que tiene. Diga(n) que quiere(n) continuar haciendo estos hábitos.

Ejemplos: Quiero continuar *soñando despierto.*
Quiero continuar *pensando que soy estupendo.*

Oración: Quiero continuar _____

_____

_____

_____

Ejercicios: ¿Quién quiere continuar _____?
X, ¿qué dice *Y*?
X, de estas cosas, ¿qué queremos continuar haciendo?
Z, de estas cosas, ¿qué quiere continuar haciendo usted?
Y, X quiere continuar _____. ¿Cierto o falso?

Focus:　present perfect tense

Todos nosotros hacemos cosas todo el tiempo. Por ejemplo, todos hemos pensado en algo importante dentro de las últimas 24 horas. Nombre(n) usted(es) unas cosas en que han(n) pensado dentro de las últimas 24 horas.

Ejemplos:　　He pensado en *mis actividades divertidas.*

He pensado en *lo que voy a hacer en mi vida.*

Oración:　　He pensado en _____

_____

_____

_____

Ejercicios:　　¿En qué ha pensado *X*?

¿Quién ha pensado en _____?

Z, ¿qué ha dicho *X*?

Z, de estas cosas, ¿en qué ha pensado usted?

Y, X ha pensado en _____. ¿Cierto o falso?

Modificaciones:　change *pensado* to *hecho, tocado, leído, dicho, escrito, creído, visto,* etc.

Focus: present perfect tense

Supongamos que usted está en un lugar extremadamente exótico donde hay cosas casi inimaginables. Cierre los ojos por un minuto. Piense usted en unas cosas extraordinarias que ha visto con los ojos cerrados. Nombre(n) usted(es) las cosas que ha(n) visto.

Ejemplos: He visto *un reporte con todas mis notas de sobresaliente.*
He visto *unos caballos tirándome en una carroza flameante.*

Oración: He visto _____

_____

_____

_____

Ejercicios: ¿Qué ha visto *X*?
¿Quién ha visto _____?
X, de estas cosas, ¿qué hemos visto?
Z, de estas cosas, ¿qué ha visto usted?
Y, *X* ha visto _____. ¿Cierto o falso?

Focus: past perfect tense

Supongamos que antes en una ocasión usted escribió una canción que llegó a ser muy popular y resultó en una venta de más de un millón de discos. Una idea fantástica le había inspirado. ¿Qué idea le había inspirado? Nombre(n) unas ideas que le(s) habían inspirado a escribir la canción.

Ejemplos: Me había inspirado *un sueño que tuve sobre el amor.*
Me había inspirado *una pulga en mi cama.*

Oración: Me había inspirado _____

_____

_____

_____

Ejercicios: ¿Qué le había inspirado a *X*?
¿Quién dice que le había inspirado _____?
Z, de estas cosas, ¿qué le había inspirado a Ud.?
Y, lo que le había inspirado a *X* fue _____. ¿Cierto o falso?

Focus: past perfect tense

Creyendo en la reincarnación, en una vida anterior usted fue una cosa o persona diferente de lo que es ahora. Antes de haber muerto en aquella vida, usted había hecho muchas cosas interesantes. ¿Qué había hecho? Nombre(n) unas cosas que había(n) hecho en aquella vida?

Ejemplos: Antes de haber muerto, yo había *inventado un robot invisible.*
Antes de haber muerto, yo había *vivido con el Rey Neptuno.*

Oración: Antes de haber muerto, yo había _____

_____

_____

Ejercicios: ¿Qué había hecho *X*?
¿Quién dice que había _____?
Z, de estas cosas, ¿qué habíamos hecho nosotros?
Y, X había _____. ¿Cierto o falso?

Focus: present tense to indicate future time + adverb of future time

Vamos a suponer que mañana en la noche usted tiene que ir por avión para Europa. Hay muchas cosas que hacer mañana antes de salir. Nombre(n) usted(es) unas cosas que hace(n) mañana antes de tomar el avión.

Ejemplos: Mañana *compro los boletos.*
Mañana *consigo los cheques viajeros.*

Oración: Mañana _____

_____

_____

Ejercicios: ¿Qué hace *X* mañana?
¿Quién _____ mañana?
X, ¿qué hace *Y*?
Z, ¿qué dice *X*?
Z, de estas cosas, ¿qué hace usted mañana?

Focus: *ir a* + infinitive verb phrase

Supongamos que usted hace cola para sacar boletos para un concierto musical muy fabuloso. Hace cinco horas que usted está esperando. Cuando llega a la ventanilla, descubre de repente que no tiene dinero. ¿Qué va a hacer ahora? Nombre(n) unas cosas que va(n) a hacer.

Ejemplos: Voy a *pedir prestado el dinero.*
              Voy a *escribir un pagaré.*

Oración: Voy a _____

              _____

              _____

              _____

Ejercicios: ¿Qué va a hacer *X*?
               ¿Quién va a _____ ?
               X, ¿qué va a hacer *Y*?
               Z, ¿qué dice *X*?
               Z, de estas cosas, ¿qué va a hacer usted?

Focus: *ir a* + infinitive verb phrase

Supongamos que usted se llama Don o Doña Quijote. Usted, en su locura, desea transformar el mundo actual. Usted y su amigo(a) van a hacer ciertas cosas locas en su tentativa a transformar el mundo. Nombre(n) usted(es) unas cosas locas que van a hacer.

Ejemplos: Para transformar el mundo, vamos a *pintar todas las carreteras de color amarillo.*
              Para transformar el mundo, vamos a *liberar todos los animales de los jardines zoológicos.*

Oración: Para transformar el mundo, vamos a _____

              _____

              _____

Ejercicios: ¿Quién va a _____ ?
               X, ¿qué van a hacer *Y* y su amigo(a)?
               Z, ¿qué dice *X*?
               Z, de estas cosas, ¿qué va a hacer usted?

Focus: future tense

Supongamos que usted ve a una persona que da patadas a un pobre perro. Usted quiere hacer algo para ayudarle al animal. Nombre(n) usted(es) las cosas que hará(n).

Ejemplos: *Le daré patadas a la persona.*
Llamaré a la Sociedad para la prevención contra la crueldad de los animales.

Oración: (Yo) _____

_____

_____

_____

Ejercicios: ¿Qué hará *X*?
¿Quién dice que _____ ?
X, ¿qué hará *Y*?
Z, ¿que dice *X*?
X, de estas cosas, ¿qué haremos nosotros?
Z, de estas cosas, ¿qué hará usted?

Focus: future tense

Supongamos que su tío, a quien usted nunca conoció, acaba de morir y le deja a usted más de cinco millones de dólares. Usted ahora puede hacer cualquier cosa. ¿Qué hará usted? Nombre(n) usted(es) algunas cosas que hará(n).

Ejemplos: *Compraré un hotel donde viviré.*
Iré a España en mi nuevo avión.

Oración: (Yo) _____

_____

_____

_____

Ejercicios: ¿Qué hará *X*?
¿Quién _____ ?
X, ¿qué hará *Y*?
Z, ¿qué dice *X*?
X, de estas cosas, ¿qué haremos nosotros?
Z, de estas cosas, ¿qué hará usted?

Focus: future tense of _comer_ + negative

Supongamos que usted ha estado comiendo demasiado durante varios meses. El doctor le dice que es necesario que usted elimine algunos alimentos por su propio bien. Nombre(n) las cosas que no comerá(n) por un tiempo.

Ejemplos: No comeré _papas._
            No comeré _pasteles._

Oración: No comeré _____

_____

_____

_____

Ejercicios: ¿Quién no comerá _____ ?
            X, ¿qué no comerá Y?
            X, de estas cosas, ¿qué no comeremos nosotros?
            Z, ¿qué dice X que Y no comerá?
            Z, de todas estas cosas, ¿qué no comerá usted?
            Y, X no comerá _____. ¿Cierto o falso?

Focus: future tense

Supongamos que usted puede ser gobernador por un día. Como gobernador, usted puede hacer unos cambios en el Estado. Nombre(n) usted(es) los cambios que hará(n).

Ejemplos: (Yo) _reduciré los impuestos._
            (Yo) _construiré más hospitales._

Oración: (Yo) _____

_____

_____

_____

Ejercicios: ¿Qué cambios hará X?
            ¿Quién _____ ?
            Z, ¿qué dice Y?
            X, de estas cosas, ¿qué haremos nosotros?
            Z, de estas cosas, ¿qué hará usted?
            Y, X _____. ¿Cierto o falso?

Focus: future tense + article + _de_ + infinitive verb phrase

---

Supongamos que usted será tentado(a) a cometer unas infracciones contra la ley. Serán sólo unos deslices pequeños—unos errores pequeños. Nombre(n) unos deslices que cometerá(n).

Ejemplos: El desliz que cometeré es el de _no pagar una multa_.

El desliz que cometeré es el de _no sellar un libro al sacarlo de la biblioteca_.

Oración: El desliz que cometeré es el de _____

_____

_____

_____

Ejercicios: ¿Qué desliz cometerá _X_?

¿Quién cometerá el de _____?

_X_, ¿qué desliz cometerá _Y_?

_Z_, ¿que dice _X_?

_X_, de estos errores, ¿qué desliz cometeremos nosotros?

_Z_, de estos errores, ¿qué desliz cometerá usted?

Focus: future tense + indirect object pronoun + _que_-clause as direct object

---

Vamos a suponer que después de quince años con la misma empresa, su padre acaba de ser despedido de su empleo. El se siente muy deprimido de que no tiene trabajo. Usted quiere animarlo. Nombre(n) usted(es) las cosas que le dirá(n) a su padre para animarlo.

Ejemplos: Le diré que _todos saldremos a trabajar_.

Le diré que _buscaremos otro empleo_.

Oración: Le diré que _____

_____

_____

_____

Ejercicios: ¿Qué le dirá _X_?

¿Quién le dirá que _____?

_X_, ¿qué le dirá _Y_?

_Z_, ¿qué dice _X_?

_Z_, de estas cosas, ¿qué le dirá usted?

Focus: future of probability

Supongamos que usted es un detective muy bueno. Usted está investigando un caso de múltiple homicidio. El asesino es muy astuto. Usted tiene que confiar en su propia intuición para recoger información y detalles. Nombre(n) unas cosas del caso que serán ciertas o que probablemente son así.

Ejemplos: ¿Será que *el asesino todavía está en la ciudad?*
¿Será que *vive cerca de la terminal de autobus?*

Oración: ¿Será que _____

_____

_____

_____

Ejercicios: ¿Según *X,* qué será del asesino?
¿Quién pregunta si será que _____?
Y, ¿qué dice *X?*
Z, de estas posibilidades, a su juicio ¿qué será lo que pasa?
Y, según *X,* será _____ o será _____ ?

Focus: conditional tense of *preferir*

Cierre usted los ojos y tome un minuto de silencio absoluto. Piense cuidadosamente en un lugar donde preferiría estar la semana que viene. Nombre(n) usted(es) los lugares donde preferiría(n) estar.

Ejemplos: Preferiría estar en *Hong Kong.*
Preferiría estar en *el Polo Norte.*

Oración: Preferiría estar en _____

_____

_____

_____

Ejercicios: ¿Dónde preferiría estar *X* la semana que viene?
¿Quién preferiría estar en _____?
X, ¿qué dice *Y?*
X, de estos lugares, ¿dónde preferiríamos estar?
Z, de estos lugares, ¿dónde preferiría estar usted?

Focus: conditional tense of *escribir*

Vamos a suponer que usted es un gran fabulista como Esopo. Usted puede escribir grandes fábulas para la gente del mundo contemporáneo. Esopo escribió acerca de las cosas de la naturaleza: el viento y el sol, el león y el ratón, etc. Nombre(n) usted(es) las cosas de las que escribiría(n) en sus fábulas.

Ejemplos: Escribiría una fábula sobre *un coche nuevo y un coche viejo*.

Escribiría una fábula sobre *los árboles y el cemento*.

Oración: Escribiría una fábula sobre _____

_____

_____

_____

Ejercicios: ¿Sobre qué escribiría *X*?

¿Quién escribiría sobre _____ ?

X, ¿qué dice *Y*?

X, de estas cosas, ¿sobre qué escribiríamos nosotros?

Z, de estas cosas, ¿sobre qué escribiría usted?

Focus: conditional tense of *gustar* + verb phrase with *ser*

Supongamos que usted puede ser otra persona—una persona a quien usted admira y estima. Diga(n) usted(es) que le(s) gustaría ser otra persona y quién sería la persona.

Ejemplos: Me gustaría ser *Tarzán*.

Me gustaría ser *un senador de los Estados Unidos*.

Oración: Me gustaría ser _____

_____

_____

_____

Ejercicios: ¿Quién dice que le gustaría ser _____ ?

X, ¿qué dice *Y*?

Z, de estas personas, ¿a quién le gustaría ser?

Y, a *X* le gustaría ser _____ . ¿Cierto o falso?

Focus: conditional tense of *gustar* + infinitive verb phrase

---

Supongamos que ahora usted se siente muy bien. A usted le gustaría hacer algo bueno y especial para su amigo o amiga. Nombre(n) usted(es) las cosas que le(s) gustaría hacer para su amigo o amiga para complacerlo(la).

Ejemplos: Me gustaría *invitarla a un buen almuerzo.*
Me gustaría *enviarle una tarjeta especial.*

Oración: Me gustaría _____

_____

_____

_____

Ejercicios: ¿A *X* qué le gustaría hacer?
¿A quién le gustaría _____ ?
X, ¿a *Y* qué le gustaría hacer?
Z, ¿qué dice *X*?
Z, de estas cosas, ¿a usted qué le gustaría hacer?

Focus: conditional tense of any verb

Usted está sentado(a) en un parque cerca de una persona que come una merienda. La persona tira la bolsa de papel de su merienda en el suelo. Usted cree en el problema de la polución por basura, y sabe que hay una multa por ensuciar los parques públicos. Usted quiere corregir la situación. Nombre(n) algunas cosas que usted(es) haría(n).

Ejemplos: *Le explicaría a la persona acerca de la multa.*
Detendría a la persona.

Oración: (Yo) _____

_____

_____

Ejercicios: ¿Quién _____ ?
X, ¿qué dice *Y*?
Y, ¿qué haría *X*?
Z, de estas cosas, ¿qué haría usted?
Y, *X* _____. ¿Cierto o falso?

Focus: conditional tense of any verb

Su mejor amigo(a) va hablando cada vez más de sí mismo(a), jactándose, y usted se siente muy molesto(a). Usted desea hacer algo para solucionar el problema. Nombre(n) unas cosas que haría(n) para solucionar el problema.

Ejemplos: *Sería muy franco con él.*
              Le diría que me molesta.

Oración: (Yo) _____

_____

_____

_____

Ejercicios: ¿Qué haría *X*?
              ¿Quién _____ ?
              X, ¿qué haría *Y*?
              Z, ¿qué dice *X*?
              Z, de estas soluciones, ¿que haría usted?

Focus: conditional tense of any verb

Supongamos que usted está caminando por un bosque. De repente usted ve un lobo. El lobo quiere atacar. ¿Qué haría usted? Nombre(n) usted(es) algunas cosas que haría(n).

Ejemplos: *Treparía un árbol.*
              Me cambiaría en una roca.

Oración: (Yo) _____

_____

_____

_____

Ejercicios: ¿Quién _____ ?
              X, ¿qué haría *Y*?
              Z, ¿qué dice *X*?
              X, de estas cosas, ¿qué haríamos nosotros?
              Z, de estas cosas, ¿qué haría usted?
              Y, *X* _____. ¿Cierto o falso?

Focus: **conditional tense of any verb**

Supongamos que usted está caminando por la calle y se le acerca un mendigo borracho. A usted le pide dinero. Usted quiere ayudarlo pero piensa que si usted le da dinero, quizá él compre más alcohol. Nombre(n) usted(es) unas cosas que haría(n) para ayudarlo.

Ejemplos: *Le compraría alimentos.*
              Le daría café para despertarlo.

Oración: (Yo) _____

              _____

              _____

              _____

Ejercicios: ¿Quién _____?
               X, ¿qué haría Y?
               Z, ¿qué dice X?
               Z, de estas cosas, ¿qué haría usted?
               Y, X _____. ¿Cierto o falso?

Focus: **conditional tense of any verb**

Usted está caminando por la playa y de repente usted ve a dos jovenes pegándole a un chico de diez años, que está intentando escaparse de ellos. Los dos valentones no le dejan escaparse. Usted cree que es una situación injusta. Le gustaría a usted ayudar al chico. Nombre(n) usted(es) unas cosas que haría(n) para ayudarle.

Ejemplos: *Les diría que dejaran de pegarle.*
              Les daría un puntapié en el trasero.

Oración: (Yo) _____

              _____

              _____

              _____

Ejercicios: ¿Quién _____?
               X, ¿qué dice Y?
               X, de estas cosas, ¿qué haríamos nosotros?
               Z, de estas cosas, ¿qué haría usted?
               Y, X _____. ¿Cierto o falso?

Focus: conditional tense + *-ndo* form

Supongamos que usted es un Quijote que se ha vuelto loco. Usted cree que tiene una misión en la vida—una misión de transformar el mundo. En su locura, ¿qué haría usted? Nombre(n) usted(es) unas cosas que haría(n) para transformar el mundo.

Ejemplos: Siendo loco(a) y deseando transformar el mundo, (yo) *ayudaría a todos los pollos sordos.*
Siendo loco(a) y deseando transformar el mundo, (yo) *edificaría un puente alrededor del mundo.*

Oración: Siendo loco(a) y deseando transformar el mundo, (yo)

_____

_____

_____

_____

Ejercicios: Siendo loco(a), ¿quién _____?
X, ¿qué haría Y?
Z, ¿qué dice X?
X, siendo locos, ¿qué haríamos nosotros?
Z, de estas cosas, ¿qué haría usted?
Y, siendo loco(a) y deseando transformar el mundo, X _____.
¿Cierto o falso?
Z, ¿_____ o _____ usted?

Focus: "let's" command

Supongamos que usted y su amigo están planeando un viaje a Europa. Están discutiendo lo que van a hacer durante el viaje. Ustedes dicen, "Hagamos esto," o "Hagamos eso." Nombre(n) usted(es) en una forma imperativa algunas cosas que van a hacer.

Ejemplos: *Volemos primero a Londres.*
Visitemos Roma.

Oración: _____

_____

_____

_____

Ejercicios: ¿Qué dice *X*?
¿Quién dice, ". . .-mos _____?"
X, ¿qué dice *Y*?
Z, de estas cosas, ¿qué dice usted?
Y, *X* dice _____. ¿Cierto o falso?

Focus: commands

Supongamos que usted y otras personas van en un coche y de repente ustedes ven un accidente horrible de un coche con varias personas lesionadas. Usted es la única persona con suficiente sentido común para saber qué hacer y cómo ayudar. Nombre(n) usted(es) las cosas que les dice(n) a las otras personas para que ayuden a las víctimas accidentadas.

Ejemplos: *Pare usted la hemorragia.*
Levanten ustedes los pies de esas personas.

Oración: _____

_____

_____

_____

Ejercicios: ¿Qué les dice *X* a las otras personas?
¿Quién dice, "_____"?
X, ¿qué dice *Y*?
Z, de estas cosas, ¿qué les dice usted a las otras personas?

Focus: commands

Supongamos que por la noche usted camina solo a casa. De repente lo/la ataca un ladrón, le quita su billetera y le pega fuerte en la cara. Luego pasa otra persona. Nombre(n) usted(es) unas cosas que le dice(n) a esa persona que haga para ayudarle(s) a usted(es).

Ejemplos: *Telefonee usted a la policía.*
              Llame usted a mi casa.

Oración: _____

_____

_____

_____

Ejercicios: ¿Qué le dice *X* a la persona?
               ¿Quién le dice " _____ "?
               X, ¿que le dice *Y* a la persona?
               Z, de estas cosas, ¿qué le dice usted a la persona?

Focus: commands in plural

Supongamos que usted es aficionado(a) del alpinismo. Usted está atrapado(a) en el salidizo de un precipicio. Usted puede gritar a sus amigos. Quiere decirles lo que deben hacer para ayudarle. Nombre(n) usted(es) las cosas que les grita(n) a sus amigos.

Ejemplos: *Tírenme una cuerda.*
              Llamen a un helicóptero.

Oración: _____

_____

_____

_____

Ejercicios: ¿Qué grita *X*?
               ¿Quién grita, " _____ "?
               Z, de estas cosas, ¿qué grita usted?
               Y, *X* grita, " _____ ". ¿Cierto o falso?

Focus: subjunctive in *que*-clause governed by main verb phrase

Supongamos que usted quiere efectuar un gran cambio en esta escuela. Hay cosas positivas que usted puede hacer y cosas negativas o contraproducentes que puede hacer para efectuar el cambio. Nombre(n) usted(es) algunas cosas que son contraproducentes.

Ejemplos: Es contraproducente que yo *grite nombres feos a las autoridades.*
Es contraproducente que *no sea diplomático.*

Oración: Es contraproducente que yo _____

_____

_____

_____

Ejercicios: ¿Quién dice que es contraproducente que _____ ?
X, ¿qué dice Y?
X, de estas cosas, ¿qué es contraproducente que hagamos nosotros?
Z, de estas cosas, ¿qué piensa usted que es contraproducente?
Y, X dice que es contraproducente que _____. ¿Cierto o falso?

Focus: subjunctive in *que*-clause governed by main verb phrase

Supongamos que usted y su amigo acaban de sufrir un accidente automovilístico muy terrible. Usted está bien, pero su amigo está muy lesionado. Usted tiene que hacer algo para ayudarlo. Nombre(n) usted(es) las cosas que piensa(n) que será esencial que haga(n) para ayudarlo.

Ejemplos: Es esencial que *llame a una ambulancia.*
Es esencial que *detenga la hemorragia.*

Oración: Es esencial que _____

_____

_____

_____

Ejercicios: ¿Quién dice que es esencial que él/ella _____ ?
X, ¿qué dice Y?
X, de estas cosas, ¿qué es esencial que hagamos nosotros?
Z, de estas cosas, ¿qué cree usted que es esencial que haga?
Y, X cree que es esencial que _____. ¿Cierto o falso?

Focus: subjunctive in *que*-clause governed by main verb phrase

---

Usted es el jefe de un pelotón de detectives. Usted está buscando a un criminal. Los detectives tienen que abarcar toda la ciudad para buscar los posibles paraderos del criminal. Nombre(n) unas cosas que son necesarias que los detectives hagan.

Ejemplos: Es necesario que ellos *investiguen el aeropuerto.*
Es necesario que ellos *revisen sus pistolas.*

Oración: Es necesario que ellos *busquen s'co armejas*

Ejercicios: X, ¿qué dice Z que es necesario que hagan ellos?
Y, ¿qué dice X?
Z, de todas estas posibilidades, ¿cuál es la más necesaria?
Y, X dice que es necesario que _____. ¿Cierto o falso?

Focus: subjunctive in *que*-clause governed by main verb phrase

---

Supongamos que usted va a pasearse por un bosque mágico. En este bosque usted podrá ver cualquier cosa del mundo. Es posible que usted vea dinosaurios, cohetes o flores que hablan lenguas extranjeras. Nombre(n) usted(es) algunas cosas que es posible que vea(n) usted(es) en el bosque mágico.

Ejemplos: Es posible que vea *algunos monos en traje de baño.*
Es posible que vea *un avión peludo.*

Oración: Es posible que vea _____

Ejercicios: ¿Quién dice que es posible que vea _____?
Y, ¿qué dice X?
Z, de todas estas cosas, ¿qué es posible que usted vea?
Y, X dice que es posible que vea _____. ¿Cierto o falso?

Focus: subjunctive in *que*-clause governed by main verb phrase

---

Supongamos que usted es payaso de circo. Usted tiene que pensar en algo interesante para hacer que la gente se ría y se divierta. Nombre(n) usted(es) unas cosas que sean buenas que usted(es), el(los) payaso(s), pueda(n) hacer para que se ría la gente.

Ejemplos: Como payaso, es bueno que yo *aparezca gracioso.*
Como payaso, es bueno que yo
me caiga muchas veces.

Oración: Como payaso, es bueno que yo _____

_____

_____

_____

Ejercicios: ¿Quién dice que es bueno que _____?
X, ¿qué dice Y?
Z, de estas cosas, ¿qué es bueno que usted haga?
Y, es bueno que X _____. ¿Cierto o falso?

Focus: present subjunctive in *que*-clause governed by main verb phrase

---

Piense usted en sus relaciones sociales. Usted cree que puede mejorar la manera de que usted trata a otros. ¿Qué puede hacer? Diga(n) usted(es) lo que cree(n) que sea necesario para mejorar sus relaciones sociales.

Ejemplos: Creo que es necesario que yo *sea menos agresivo(a).*
Creo que es necesario que yo *les escuche mejor a mis amigos.*

Oración: Creo que es necesario que yo *les invite a mi casa*

_____

_____

_____

Ejercicios: ¿Quién cree que es necesario que él/ella _____?
X, ¿qué cree Y?
Z, ¿qué dice X?
X, de estas cosas, ¿qué creemos nosotros?
Z, de estas cosas, ¿qué cree usted?
Y, X cree que es necesario que él/ella _____. ¿Cierto o falso?

Focus: subjunctive in *que*-clause governed by main verb phrase

Supongamos que usted es el rey/la reina de toda la tierra. Usted cree que es esencial que la gente haga ciertas cosas para mantener el orden y para que el país sea un buen lugar para vivir. Nombre(n) unas cosas esenciales que la gente haga.

Ejemplos: Es esencial que la gente *se ayude uno al otro.*
Es esencial que la gente *continúe trabajando.*

Oración: Es esencial que la gente _____

_____

_____

_____

Ejercicios: ¿Quién dice que es esencial que la gente _____?
X, ¿qué dice Y?
X, de estas cosas, ¿qué es esencial que nosotros hagamos?
Z, de estas cosas, ¿qué es esencial?

Focus: subjunctive in *que*-clause governed by main verb phrase

Todos tenemos hábitos. Es decir, hacemos cosas por hábito. Piense(n) usted(es) en unos hábitos que tiene(n) y diga(n) que es posible que en diez años no haga(n) esas cosas.

Ejemplos: Es posible que en diez años yo no *estudie con música.*
Es posible que en diez años yo no *coma dulces de chocolate.*

Oración: Es posible que en diez años yo no _____

_____

_____

_____

Ejercicios: ¿Quién dice que es posible que _____?
X, ¿qué dice Y?
X, de estas cosas, ¿qué es posible que no hagamos en diez años?
Z, de estas cosas, ¿qué es posible que no haga usted en diez años?
Y, es posible que en diez años X no _____. ¿Cierto o falso?

Focus: present subjunctive in *que*-clause governed by main verb phrase

Piense usted un unos aspectos negativos de sí mismo(a) que no le gustan. Usted cree que es mejor que se quite estos aspectos de su vida. Nombre(n) estos aspectos negativos y diga(n) usted(es) que es mejor que se quite(n) estos aspectos.

Ejemplos: Creo que es mejor que me quite *mis tendencias a ser perezoso.*
Creo que es mejor que me quite *las tonterías que cometo.*

Oración: Creo que es mejor que me quite _____

_____

_____

_____

Ejercicios: ¿Qué cree *X*?
¿Quién cree que es mejor que se quite _____?
X, ¿qué cree *Y*?
Z, ¿qué dice *X*?
X, de estas cosas, ¿qué creemos nosotros?
Z, de estas cosas, ¿qué cree usted?

Focus: present subjunctive in *que*-clause governed by main verb phrase

Piense usted en una persona a quien usted admira mucho. Esa persona tiene unas cualidades que usted cree son esenciales que usted incorpore en su propia vida. Nombre(n) usted(es) unas cualidades que son esenciales que incorpore(n) en su vida.

Ejemplos: Creo que es esencial que yo incorpore *más caridad en mi vida.*
Creo que es esencial que yo incorpore *un deseo de tener más amistades.*

Oración: Creo que es esencial que yo incorpore _____

_____

_____

_____

Ejercicios: ¿Quién cree que es esencial que él/ella incorpore _____?
X, ¿qué cree *Y*?
Z, ¿qué dice *X*?
X, de estas cosas, ¿qué creemos nosotros?
Z, de estas cosas, ¿qué cree usted?

Focus: impersonal phrase + infinitive verb phrase

A todos nos gusta hacer cosas interesantes para estimular la vida rutinaria. Nombre(n) usted(es) una cosa muy estimulante o fantástica que le(s) gustaría hacer, y diga(n) usted(es) que piensa(n) que es bueno hacer.

Ejemplos: Pienso que es bueno *comer un montón de helados.*
Pienso que es bueno *conducir coches de carrera.*

Oración: Pienso que es bueno _____

_____

_____

_____

Ejercicios: ¿Qué piensa *X* que es bueno hacer?
¿Quién piensa que es bueno _____?
X, ¿qué dice *Y*?
Z, de estas cosas, ¿qué piensa Ud. que es bueno hacer?
Y, *X* piensa que es bueno _____. ¿Cierto o falso?

Modificación: This situation may be modified by adding *que* after the word *bueno* to produce a subjunctive clause.

Focus: subjunctive in *que*-clause governed by indefinite antecedent

Vamos a suponer que usted tiene mucho dinero. Desea comprar un coche y no le importa el precio. Nombre(n) usted(es) unas cosas que busca(n) en un coche.

Ejemplos: Busco un coche que *vaya a 200 millas por hora.*
Busco un coche que *tenga televisión.*

Oración: Busco un coche que _____

_____

_____

_____

Ejercicios: ¿Quién busca un coche que _____?
X, ¿qué tipo de coche busca *Y*?
Z, ¿qué dice *X*?
Z, de estas cosas, ¿qué tipo de coche busca usted?
Y, *X* busca un coche que _____. ¿Cierto o falso?

Focus: subjunctive in *que*-clause governed by indefinite antecedent

Supongamos que usted es un sapo que quiere convertirse en un príncipe o princesa. Usted necesita encontrar una bruja que pueda hacer algunas cosas para usted para hacer el cambio. Diga(n) usted(es) que busca(n) una bruja que pueda hacer algunas cosas para usted.

Ejemplos: Busco una bruja que *pueda pasar una varita mágica sobre mí.*
              Busco una bruja que *me dé cinco arañas bailarinas.*

Oración: Busco una bruja que _____

              _____

              _____

              _____

Ejercicios: ¿Quién busca una bruja que _____?
              X, ¿qué dice *Y*?
              Y, ¿qué tipo de bruja busca *X*?
              Z, de estas posibilidades, ¿qué tipo de bruja busca usted?
              Y, *X* busca una bruja que _____. ¿Cierto o falso?

Focus: subjunctive in *que*-clause governed by adverbial phrase *para que*

Usted desea ayudar a los desgraciados en la vida. Usted va a solicitar dinero a los ricos para los pobres para que puedan tener una vida mejor. Indique(n) usted(es) para qué les servirá el dinero a los pobres.

Ejemplos: El dinero les servirá para que *compren mejores alimentos.*
              El dinero les servirá para que *tengan más oportunidades en su vida.*

Oración: El dinero les servirá para que _____

              _____

              _____

              _____

Ejercicios: ¿Quién dice que el dinero les servirá para que _____?
              X, según *Y*, ¿para qué les servirá el dinero a los pobres?
              Z, ¿qué dice *X*?
              Z, de estas cosas, según usted, ¿para qué les servirá el dinero?
              Y, *X* dice que el dinero les servirá para que _____. ¿Cierto o falso?

Focus: subjunctive in *que*-clause governed by adverbial phrase *a menos que*

El año es 2001. Usted y su amigo son dos astronautas muy importantes. Su país desea que ustedes vayan a explorar otras partes del universo. Ustedes no quieren ir a menos que les den ciertas cosas. Nombre(n) usted(es) las cosas.

Ejemplos: No vamos a explorar el universo a menos que *nos permitan volver.*
               No vamos a explorar el universo a menos que *consigamos una astronave buena.*

Oración: No vamos a explorar el universo a menos que

_____

_____

_____

Ejercicios: *X, Y* no va a explorar el universo a menos de qué cosa?
             Z, ¿qué dice *X*?
             Z, ¿qué escoge usted entre estas cosas?
             Y, X no va a explorar el universo a menos que _____. ¿Cierto o falso?

Focus: subjunctive in *que*-clause governed by adverbial phrase *con tal que*

Usted tiene todas las cualidades para un trabajo que ofrece un gran hotel en Nueva York. El dueño del hotel quiere que usted sea el gerente del hotel. Usted acepta el puesto con ciertas condiciones. Nombre(n) usted(es) las condiciones.

Ejemplos: Acepto el puesto con tal que *pueda tomar decisiones.*
               Acepto el puesto con tal que *pueda vivir en el hotel.*

Oración: Acepto el puesto con tal que _____

_____

_____

Ejercicios: ¿Quién acepta el puesto con tal que _____?
             X, ¿qué dice *Y*?
             Z, de estas cosas, ¿con tal de qué condiciones acepta usted el puesto?
             Y, X acepta el puesto con tal que _____. ¿Cierto o falso?

Focus: subjunctive in *que*-clause governed by adverbial phrase *para que*

Supongamos que usted tiene un tío sabio y generoso. Su tío le dará a usted algo para que usted haga cosas interesantes y creativas durante su vida. Diga(n) usted(es) lo que su tío le(s) dará para que haga(n) esa cosa especial y diga(n) también lo que usted(es) hará(n).

Ejemplos: Mi tío me dará *un avión* para que *vaya a cualquier parte*.
Mi tío me dará *un viaje a Europa* para que *sea más culto(a)*.

Oración: Mí tío me dará _____ para que (yo) _____

_____   _____

_____   _____

_____   _____

Ejercicios: ¿Para qué le dará el tío de *X* un _____?
¿Quién dice que su tío le dará un _____ para que _____?
X, ¿qué dice *Y*?
Z, de estas cosas, ¿para qué le dará su tío un _____?

Focus: present subjunctive in *que*-clause governed by main verb phrase

Supongamos que usted es el o la jefe de los vaqueros. Estos vaqueros están haciendo tonterías y no están haciendo sus tareas muy bien. Usted convoca una reunión en el corral para pedirles que hagan mejor su trabajo. Nombre(n) usted(es) las cosas que pide(n) que los vaqueros hagan.

Ejemplos: Pido que los vaqueros *reparen el cerco.*
Pido que los vaqueros *amontonen más estiércol.*

Oración: Pido que los vaqueros _____

_____

_____

_____

Ejercicios: ¿Qué pide X?
¿Quién pide que los vaqueros _____?
X, ¿qué pide Y?
Z, ¿qué dice X?
Z, de estas cosas, ¿qué pide usted?

Focus: subjunctive in *que*-clause governed by main verb phrase

Hay ciertas cosas en nuestro estado (provincia) de _____ por las cuales nos preocupamos. Piense usted en una cosa que usted insiste en que haga el gobernador para el bien del estado. Nombre(n) usted(es) algunas cosas que insiste(n) en que haga el gobernador.

Ejemplos: Insisto en que el gobernador *apoye más la educación.*
Insisto en que el gobernador *luche contra la inflación.*

Oración: Insisto en que el gobernador _____

_____

_____

_____

Ejercicios: ¿Quién insiste en que el gobernador _____?
X, ¿qué dice Y?
Z, de estas cosas, ¿en qué insiste usted?
Y, X insiste en que el gobernador _____. ¿Cierto o falso?

Focus: present subjunctive in *que*-clause governed by main verb phrase

Supongamos que usted es hipnotizador. Con su habilidad usted puede hacer que una persona haga cualquier cosa que usted quiera. Nombre(n) unas cosas que usted(es) puede(n) hacer que una persona haga.

Ejemplos: Puedo hacer que una persona *se siente en el pulgar.*
Puedo hacer que una persona *tenga frío.*

Oración: Puedo hacer que una persona _____

_____

_____

_____

Ejercicios: ¿Qué puede hacer *X* que una persona haga?
¿Quién hace que una persona _____?
Z, ¿qué dice *X*?
Z, de estas cosas, ¿qué hace usted?
Y, *X* hace que una persona _____. ¿Cierto o falso?

Focus: present subjunctive in *que*-clause governed by main verb phrase

Supongamos que usted tiene opiniones precisas sobre lo que es bueno hacer en la vida. Nombre(n) usted(es) unas cosas buenas que aconseja(n) que su amigo(a) haga.

Ejemplos: Aconsejo que mi amigo *trabaje más en mecánica.*
Aconsejo que mi amiga *practique más los ejercicios.*

Oración: Aconsejo que mi amigo(a) _____

_____

_____

_____

Ejercicios: ¿Quién aconseja que su amigo(a) _____?
X, ¿qué dice *Y*?
X, de estas cosas, ¿qué aconseja usted que hagamos nosotros?
Z, de estas cosas, ¿qué aconseja que haga su amigo(a)?
Y, *X* aconseja que su amigo(a) _____. ¿Cierto o falso?

Focus: verb *gustar* + *que*-clause with subjunctive

Muchas personas hacen cosas que le gustan a usted. Piense usted en algunas cosas que le gusta que haga la gente. Nombre(n) usted(es) las cosas que le(s) gusta que haga la gente.

Ejemplos: Me gusta que la gente *cuide el ambiente.*
Me gusta que la gente *me deje en paz.*

Oración: Me gusta que la gente _____

_____

_____

_____

Ejercicios: ¿A quién le gusta _____?
X, ¿qué dice Y?
Z, de estas cosas, ¿qué le gusta que haga la gente?
Y, a X le gusta que la gente _____. ¿Cierto o falso?

Focus: present subjunctive in *que*-clause governed by main verb

---

Muchas veces podemos predecir lo que hará nuestro mejor amigo. Piense en algunas cosas que usted duda que haga su amigo. Nombre(n) unas cosas que usted(es) duda(n) que haga su mejor amigo.

Ejemplos: Dudo que mi mejor amigo *mienta.*
Dudo que mi mejor amigo *salga con mi novia.*

Oración: Dudo que mi mejor amigo _____

_____

_____

_____

Ejercicios: ¿Quién duda que su mejor amigo _____?
X, ¿qué duda Y?
Y, ¿qué dice X?
X, de estas cosas, ¿qué duda usted que nosotros hagamos?
Z, de estas cosas, ¿qué duda usted?
Y, X duda que su mejor amigo _____. ¿Cierto o falso?

Focus: present subjunctive in *que*-clause governed by main verb

---

Supongamos que usted puede cambiar lugar con sus padres. Ahora usted es el padre o la madre y sus padres son sus hijos. Como padre o madre usted quiere que su hijo o hija haga ciertas cosas. Nombre(n) usted(es) unas cosas que quiere(n) que haga su hijo o hija.

Ejemplos: Quiero que mi hijo *cuide el coche.*
               Quiero que mi hija *saque buenas notas.*

Oración: Quiero que mi hijo(a) _____

               _____

               _____

               _____

Ejercicios: ¿Qué quiere *X*?
               ¿Quién quiere que su hijo _____?
               X, ¿qué quiere *Y* que haga su hija?
               Z, ¿qué dice *X*?
               Z, de estas cosas, ¿qué quiere usted que haga su hijo(a)?

Focus: present subjunctive in *que*-clause governed by main verb

---

Hay algunas cosas de su mejor amigo(a) de que usted se alegra. Nombre(n) usted(es) las cosas de su mejor amigo(a) de que usted(es) se alegra(n).

Ejemplos: Me alegro de que mi amigo *sea tan sincero.*
               Me alegro de que mi amiga *sea divertida.*

Oración: Me alegro de que mi amigo(a) _____

               _____

               _____

               _____

Ejercicios: ¿Quién se alegra de que su amigo(a) _____?
               X, ¿qué dice *Y*?
               X, de estas cosas, ¿de qué nos alegramos?
               Z, de estas cosas, ¿de qué se alegra usted?
               Y, *X* se alegra de que su amigo(a) _____. ¿Cierto o falso?

Focus: **present subjunctive in *que*-clause governed
by main verb phrase**

Supongamos que usted es un rey malo y su pueblo está enojado con usted. Ellos
están rebelando. Usted dice a sus consejeros que tiene miedo de lo que el pueblo
pueda estar haciendo para destruir su reino. Nombre(n) usted(es) unas cosas de
las cuales usted(es) tiene(n) miedo que el pueblo haga.

Ejemplos: Tengo miedo de que *el pueblo me derribe.*
Tengo miedo de que *el pueblo me quite mi dinero.*

Oración: Tengo miedo de que _____

_____

_____

_____

Ejercicios: ¿Quién tiene miedo de que _____?
X, ¿de qué tiene Y miedo?
Z, ¿qué dice Y?
Z, de estas cosas, ¿de qué tiene más miedo?
Y, X tiene miedo de que _____. ¿Cierto o falso?

Focus: **present subjunctive in *que*-clause governed
by main verb phrase**

Supongamos que usted es un sapo que quiere convertirse en príncipe o princesa.
La bruja le dice a usted que haga ciertas cosas para que usted pueda convertirse.
Nombre(n) usted(es) las cosas que la bruja le(s) dice a usted(es) que haga(n).

Ejemplos: La bruja me dice que *coma una víbora.*
La bruja me dice que *salte encima de una araña negra.*

Oración: La bruja me dice que _____

_____

_____

_____

Ejercicios: ¿Quién dice que la bruja le dice que _____?
X, ¿qué dice Y?
X, de estas cosas, ¿qué nos dice la bruja que nosotros hagamos?
Z, de todas estas cosas, ¿qué le dice la bruja que usted haga?
Y, la bruja le dice a X que _____. ¿Cierto o falso?

**Focus: present subjunctive in *que*-clause governed
by main verb phrase**

Usted es pesimista. Sus amigos son alpinistas y usted está con ellos en una
montaña. Ellos quieren continuar subiendo la montaña. Usted duda que puedan
hacerlo. Nombre(n) usted(es) algunas cosas que duda(n) que todos ustedes
hagan.

Ejemplos: Dudo que *lleguemos a la cumbre de la montaña.*
Dudo que *podamos bajar.*

Oración: Dudo que nosotros _____

_____

_____

_____

Ejercicios: ¿Quién duda que _____?
X, ¿qué duda Y?
X, de estas cosas, ¿qué duda usted que hagamos?
Z, de estas cosas, ¿qué duda usted?
Y, X duda que _____. ¿Cierto o falso?

**Focus: present subjunctive in *que*-clause governed
by main verb phrase**

Supongamos que un día la voz de Dios le habla a usted. Le dice que usted haga
ciertas cosas. Nombre(n) unas cosas que la voz de Dios le(s) dice que haga(n).

Ejemplos: La voz de Dios me dice que *sea un candidato político.*
La voz de Dios me dice que *me ría más de mí mismo.*

Oración: La voz de Dios me dice que _____

_____

_____

_____

Ejercicios: ¿Qué le dice la voz de Dios a X?
¿Quién dice que la voz de Dios le dice que _____?
X, ¿qué le dice la voz de Dios a Y?
Z, ¿qué dice X?
Y, de estas cosas, ¿qué nos dice la voz de Dios?
Z, de estas cosas, ¿qué le dice la voz de Dios a usted?

Focus: present subjunctive in *que*-clause governed by main verb phrase

Supongamos que un día el diablo aparece ante usted. El diablo propone que usted haga ciertas cosas. Nombre(n) usted(es) unas cosas que propone el diablo que usted(es) haga(n).

Ejemplos: El diablo propone que yo *peque un poco más.*
El diablo propone que yo *tenga una aventura amorosa.*

Oración: El diablo propone que yo _____

_____

_____

_____

Ejercicios: ¿Qué propone el diablo que *X* haga?
¿Quién dice que el diablo propone que él/ella _____?
Z, ¿qué dice *X*?
X, ¿qué propone el diablo que nosotros hagamos?
Z, de estas cosas, ¿qué propone el diablo que usted haga?

Focus: present subjunctive in *que*-clause governed by main verb phrase

Supongamos que usted está perdido(a) en las montañas y que no tiene nada sino la ropa que lleva. Usted espera que nada serio le pase. Nombre(n) unas cosas que espera(n) que pasen para ayudarle(s) a salvarse.

Ejemplos: Espero que *no me ataquen los osos.*
Espero que *no llueva.*

Oración: Espero que _____

_____

_____

_____

Ejercicios: ¿Qué espera *X*?
¿Quién espera que _____?
X, ¿qué espera *Y*?
Y, ¿que dice *X*?
Z, de estas cosas, ¿qué espera usted?
Y, *X* espera que _____. ¿Cierto o falso?

Focus: use of present subjunctive governed by *ojalá*

Hay varios problemas serios que el gobierno debe de resolver. Usted espera que su representante en el Congreso trabaje en estos problemas. Nombre(n) usted(es) los problemas que espera(n) que resuelva su representante.

Ejemplo: Ojalá mi representante trabaje en *bajar los precios de los alimentos.*

Oración: Ojalá mi representante trabaje en _____

_____

_____

_____

Ejercicios: (Notice the relationship between *espera que* and *ojalá*.)
¿Qué espera *X* que haga su representante?
¿Quién dice que ojalá su representante trabaje en _____ ?
Z, ¿qué dice *X*?
Z, de estas cosas, ¿qué espera usted?
Y, *X* dice ojalá su representante trabaje en _____. ¿Cierto o falso?

Focus: present subjunctive in *que*-clause governed by main verb phrase

Supongamos que usted tiene un perro que habla. Sólo usted sabe que el perro puede hablar. El perro le entiende a usted y usted le entiende al perro. El perro quiere decirle que usted haga ciertas cosas. Nombre(n) usted(es) unas cosas que el perro le(s) dice que haga(n).

Ejemplos: El perro me dice que *vaya a buscar su hueso.*
El perro me dice que *prepare su cena.*

Oración: El perro me dice que _____

_____

_____

_____

Ejercicios: ¿Qué le dice el perro que *X* haga?
¿Quién dice que el perro le dice que _____?
X, ¿qué dice el perro que *Y* haga?
Z, ¿qué dice *X*?
Z, de estas cosas, ¿qué le dice el perro que usted haga?

Focus: **present perfect subjunctive in *que*-clause**

Piense usted en alguna persona muy importante en la vida de usted. Nombre(n) usted(es) algo que, en su opinión, es posible que haya hecho esa persona.

Ejemplos: Es posible que *X haya publicado un libro.*
               Es posible que *X haya encontrado a su Karma.*

Oración: Es posible que _____ haya _____

                        _____   _____

                        _____   _____

                        _____   _____

Ejercicios: ¿Quién dice que es posible que _____ ?
             ¿Qué es posible que haya hecho *X*?
             X, ¿qué dice *Y*?
             X, de estas cosas, ¿qué es posible que nosotros hayamos hecho?
             Z, de todas estas cosas, ¿qué es posible que usted haya hecho?
             Y, *X* dice que es posible que _____. ¿Cierto o falso?

Focus: **present perfect subjunctive in *que*-clause**

Usted es un espía internacional. Lo(La) han detenido a usted, pero su compañero escapó. En la oficina central, los policías le preguntan a dónde ha ido su compañero. Usted inventa respuestas para despistar a los policías. Nombre(n) unos lugares dónde es posible que haya ido su compañero.

Ejemplos: Es posible que él haya ido a *las pirámides de Egipto.*
               Es posible que él haya ido *al Pentágono.*

Oración: Es posible que él haya ido a _____

                        _____

                        _____

                        _____

Ejercicios: ¿Quién dice que es posible que él haya ido a _____ ?
             X, ¿qué dice *Y*?
             Z, de estas cosas, ¿qué piensa usted que es posible?
             Y, *X* dice que es posible que él haya ido a _____. ¿Cierto o falso?

Focus: **present perfect subjunctive in *que*-clause**

Supongamos que usted vio un robo. El robo ocurrió tan rápidamente que usted no recuerda bien todos los detalles. Usted trata de explicarle a la policía lo que probablemente pasó y todos los detalles. Nombre(n) usted(es) unas cosas que sean probables sobre el robo.

Ejemplos: Es probable que *los ladrones hayan tenido puestos trajes negros.*
Es probable que *hayan hablado con acento extranjero.*

Oración: Es probable que _____

_____

_____

_____

Ejercicios: ¿Quién dice que es probable que ellos hayan _____?
X, ¿qué dice *Y*?
Z, de estas cosas, ¿qué cree usted que es probable?
Y, X dice que es probable que _____. ¿Cierto o falso?

Focus: **present perfect subjunctive introduced by *tal vez***

Supongamos que usted tuvo otra vida en una tierra mágica. Tal vez en ese lugar su vida haya sido muy diferente a la de ahora. Diga(n) lo que tal vez haya(n) hecho o haya(n) sido en la tierra mágica.

Ejemplos: Tal vez haya *crecido hasta seis metros de altura.*
Tal vez haya *sido un ganso dorado.*

Oración: Tal vez haya _____

_____

_____

Ejercicios: ¿Quién dice que tal vez él/ella haya _____?
X, ¿qué dice *Y*?
X, de estas cosas ¿qué dice usted que tal vez nosotros hayamos sido?
Z, de estas cosas, ¿qué dice usted que tal vez haya sido?
Y, tal vez *X* haya _____. ¿Cierto o falso?

Focus: present perfect subjunctive in *que*-clause governed by main verb phrase

Vamos a suponer que usted puede cambiar de lugar con sus padres. Usted es el padre o la madre, y sus padres ahora son sus niños de usted. Como padre o madre, usted siente que su niño haya hecho ciertas cosas. Diga(n) lo que siente(n) que haya hecho su niño o niña.

Ejemplos: Siento que mi niño haya fumado mota.
Siento que mi niña no haya practicado el piano.

Oración: Siento que mi niño(a) haya _____

_____

_____

_____

Ejercicios: X, ¿qué siente Y?
X, de estas cosas, ¿qué siente usted que nosotros hayamos hecho?
Z, ¿qué dice X?
Z, de todas estas cosas, ¿qué siente usted?
Y, X siente que su niño haya _____. ¿Cierto o falso?

Focus: present perfect subjunctive in *que*-clause governed by main verb phrase

Probablemente usted ha hecho algo que le disgusta a sus padres y ellos están sentidos. Diga(n) unas cosas que usted(es) haya(n) hecho de que sus padres están sentidos.

Ejemplos: Mis padres están sentidos de que yo haya *comprado un coche viejo.*
Mis padres están sentidos de que yo no haya *encontrado trabajo.*

Oración: Mis padres están sentidos de que yo haya

_____

_____

_____

Ejercicios: ¿Quién dice que sus padres están sentidos de que él/ella haya
_____?
X, ¿qué dice Y?
X, de estas cosas, ¿de qué está sentido(a) que nosotros hayamos hecho?
Z, de estas cosas, ¿de qué están sentidos sus padres?
Y, los padres de X están sentidos de que él/ella haya _____.
¿Cierto o falso?

Focus: past subjunctive in *que*-clause governed by main verb phrase

Usted es un(a) policía que ayudó a salvar las vidas de varias personas cuando un hombre que estaba loco empezó a disparar una pistola en el centro de la ciudad. Usted ahora explica las cosas que hizo y que fueron necesarias para ayudar a las personas inocentes. Nombre(n) usted(es) unas cosas que fueron necesarias que hiciera(n).

Ejemplos: Fue necesario que yo *pegara al loco.*
Fue necesario que yo *dijera que las personas corrieran.*

Oración: Fue necesario que yo _____

_____

_____

_____

Ejercicios: ¿Quién dice que fue necesario que _____?
X, ¿qué fue necesario que hiciera Y?
Z, ¿qué dice X?
Z, de estas cosas, ¿qué fue necesario que usted hiciera?
Y, X dice que fue necesario que él/ella _____. ¿Cierto o falso?

Focus: past subjunctive in *que*-clause governed by main verb phrase

Supongamos que usted era el jefe de los enanos del bosque. Ellos no hacían su trabajo muy bien en el bosque. Usted convocó una reunión para decirles que era necesario que ellos hicieran ciertas cosas para hacer del bosque un mejor lugar. Nombre(n) usted(es) unas cosas que eran necesarias que hicieran los enanos.

Ejemplos: Era necesario que los enanos *plantaran más árboles.*
Era necesario que los enanos *jugaran con los animales.*

Oración: Era necesario que los enanos _____

_____

_____

_____

Ejercicios: ¿Quién dice que era necesario que los enanos _____?
X, ¿qué dice Y?
X, de estas cosas, ¿qué era necesario que hiciéramos nosotros?
Z, de estas cosas, ¿qué era necesario?
Y, X dice que era necesario que los enanos _____. ¿Cierto o falso?

Focus: past subjunctive in *que*-clause governed
by main verb phrase

De niño había ciertas cosas que sus padres no dejaban que usted hiciera.
Nombre(n) algunas cosas que no dejaban sus padres que hiciera(n) usted(es).

Ejemplos: Mis padres no dejaban que yo *me quedara levantado hasta tarde.*
Mis padres no dejaban que yo *saliera solo(a).*

Oración: Mis padres no dejaban que yo _____

_____

_____

_____

Ejercicios: ¿Quién dice que sus padres no dejaban que él/ella _____?
X, ¿qué dice *Y*?
X, de estas cosas, ¿qué no dejaban nuestros padres que hiciéramos nosotros?
Z, de estas cosas, ¿qué no dejaban sus padres que hiciera usted?
Y, los padres de *X* no dejaban que él/ella _____. ¿Cierto o falso?

Focus: past subjunctive in *que*-clause governed
by main verb phrase

De niño, cuando hacía travesuras, sus padres le ordenaban que usted hiciera
ciertas cosas. Nombre(n) usted(es) algunas cosas que sus padres le(s) ordenaban
que hiciera(n) usted(es).

Ejemplos: Mis padres me ordenaban que yo *me fuera a la cama.*
Mis padres me ordenaban que *me comportara mejor.*

Oración: Mis padres me ordenaban que yo _____

_____

_____

_____

Ejercicios: ¿Quién dice que sus padres le ordenaban que _____?
X, ¿qué dice *Y*?
X, de estas cosas, ¿qué nos ordenaban nuestros padres que hiciéramos nosotros?
Z, de estas cosas, ¿qué le ordenaban que hiciera usted?
Y, los padres de *X* le ordenaban que él/ella _____. ¿Cierto o falso?

Focus: past subjunctive in *que*-clause governed by main verb phrase

Vamos a suponer que usted tiene una bola mágica de cristal. Usted puede ver muchos cosas en ella. Nombre(n) usted(es) lo que sería posible que viera(n) usted(es) en la bola mágica.

Ejemplos: Sería posible que viera *el mecanismo de la mente humana.*
Sería posible que viera *el futuro del mundo.*

Oración: Sería posible que viera _____

_____

_____

_____

Ejercicios: ¿Qué sería posible que viera *X*?
Z, ¿qué sería posible que *Y* viera _____?
Z, ¿qué dice *X*?
X, de estas cosas, ¿qué sería posible que viéramos nosotros?
Z, de estas cosas, ¿qué sería posible que viera usted?

Focus: past subjunctive in *que*-clause governed by main verb phrase

Supongamos que usted fue el dios griego, Zeus. La gente no se respetaba entre sí y no cuidaba del mundo. Usted les dijo lo que debían hacer para vivir mejor. Nombre(n) usted(es) algunas cosas que dijo(dijeron) que la gente hiciera.

Ejemplos: Les dije que *fueran menos hostiles.*
Les dije que *mantuvieran limpios los ríos.*

Oración: Les dije que _____

_____

_____

_____

Ejercicios: ¿Qué les dijo *X*?
¿Quién les dijo que _____?
X, ¿qué le dijo *Y*?
Z, de estas cosas, ¿qué les dijo usted?
Y, *X* les dijo que _____. ¿Cierto o falso?

**Focus: past subjunctive in *que*-clause governed
by main verb phrase**

Vamos a suponer que usted tiene todas las cualidades para un trabajo que ofrece un gran hotel en San Francisco. El dueño del hotel quiere que usted sea el gerente del hotel. Usted aceptaría el puesto bajo ciertas condiciones. Nombre(n) las cosas que pediría usted(es).

Ejemplos: Pediría que *me dieran un mes de vacaciones cada año.*
Pediría que *me mandaran a visitar hoteles extranjeros dos veces al año.*

Oración: Pediría que _____

_____

_____

_____

Ejercicios: ¿Quién pediría que _____ ?
X, ¿qué dice Y?
Z, de estas cosas, ¿qué pediría usted?
Y, X pediría que _____ . ¿Cierto o falso?

**Focus: past subjunctive in *que*-clause governed
by *gustar* + conditional tense**

Supongamos que usted está en una fiesta. Acaba de conocer a una persona muy guapa. A usted le gustaría pasar más tiempo con esta persona. Nombre(n) usted(es) unas cosas que le(s) gustaría que la persona hiciera con usted(es) en la fiesta.

Ejemplos: Me gustaría que la persona *conversara conmigo.*
Me gustaría que la persona *bailara conmigo.*

Oración: Me gustaría que la persona _____

_____

_____

_____

Ejercicios: ¿A quién le gustaría que la persona _____ ?
X, ¿qué dice Y?
Z, de estas cosas, ¿qué le gustaría?
Y, a X le gustaría que la persona _____ . ¿Cierto o falso?

**Focus: past perfect subjunctive in *que*-clause governed
by main verb phrase**

De niño usted esperaba llegar a ser una persona especial. Usted necesitaba algo
más que solamente sí mismo(a) para llegar a ser esa persona especial. Nombre(n)
usted(es) unas cosas que esperaba(n) que sus padres hubieran comprado para
usted(es) para llegar a ser esa persona especial.

Ejemplos: Esperaba que mis padres me hubieran comprado *un libro de
medicina.*

Esperaba que mis padres me hubieran comprado *una bicicleta.*

Oración: Esperaba que mis padres me hubieran comprado

_____

_____

_____

Ejercicios: ¿Quién esperaba que sus padres le hubieran comprado _____?

X, ¿qué esperaba Y?

Y, ¿qué dice X?

Z, de estas cosas, ¿qué esperaba usted?

Y, X esperaba que sus padres le hubieran comprado _____.
¿Cierto o falso?

**Focus: *ojalá* + past subjunctive to reflect an immutable
circumstance**

Hay muchas cosas en el mundo que no nos gustan, pero no podemos cambiarlas.
Usando "ojalá," nombre(n) usted(es) algunas cosas que ojalá fueran diferentes.

Ejemplos: Ojalá *tuviera un tío rico.*

Ojalá *viviera en España.*

Oración: Ojalá _____

_____

_____

Ejercicios: ¿Quién dice _____?

X, ¿qué espera Y que ojalá fuera diferente?

Z, ¿qué dice X?

Z, de todas estas cosas, ¿qué espera usted que ojalá fuera diferente?

Y, X dice ojalá _____. ¿Cierto o falso?

Focus: construction for the hypothetical
(contrary to fact or reality)

Digamos que usted es una persona mediana. Tiene una inteligencia mediana y no hace usted grandes cosas muy a menudo. Pero si usted fuera un genio y tuviera la habilidad de hacer cualquier cosa, ¿qué haría usted? Nombre(n) usted(es) unas cosas que haría(n), si pudiera(n) hacer cualquier cosa.

Ejemplos: Si pudiera hacer cualquier cosa, *buscaría tesoros hundidos en el mar.*
Si pudiera hacer cualquier cosa, *eliminaría el hambre en el mundo.*

Oración: Si pudiera hacer cualquier cosa, _____

_____

_____

_____

Ejercicios: ¿Qué haría *X*?
¿Quién _____?
X, ¿qué haría *Y*?
Y, ¿qué dice *X*?
Z, de estas cosas, ¿qué haría usted?

Focus: past subjunctive of auxiliary verb *haber* + past participle

---

Parece que a nosotros siempre nos falta alguna cualidad. Con esa cualidad esencial nosotros hubiéramos sido diferentes de lo que somos ahora. Con esa cualidad (nómbrela usted), diga(n) usted(es) cómo o qué hubiera(n) sido.

Ejemplos: Con *disciplina,* yo hubiera *aprendido más.*
Con *paciencia,* yo hubiera *entendido más.*

Oración: Con _____, yo hubiera _____

_____ _____

_____ _____

_____ _____

Ejercicios: X, ¿cómo hubiera sido Y con _____ ?
Z, ¿qué dice X?
Z, de estas cosas, ¿cómo o qué hubiera sido usted?
Y, con _____, X hubiera _____. ¿Cierto o falso?

Focus: past subjunctive of auxiliary verb *haber* + past participle

---

Hace cinco años, con $10.000 dólares, usted hubiera hecho algunas cosas buenas. Nombre(n) usted(es) algunas cosas que hubiera(n) hecho con los $10.000 dólares.

Ejemplos: Con los $10.000 dólares, yo hubiera *pagado la hipoteca de nuestra casa.*
Con los $10.000 dólares, yo hubiera *invertido en IBM.*

Oración: Con los $10.000 dólares, yo hubiera _____

_____

_____

_____

Ejercicios: ¿Quién hubiera _____ ?
X, ¿qué hubiera hecho Y?
X, de estas cosas, ¿qué hubiéramos hecho nosotros?
Z, de estas cosas, ¿qué hubiera hecho usted?
Y, con los $10.000 dólares, X hubiera _____. ¿Cierto o falso?

Focus: *para que* + subjunctive + past tense, governed by main verb

Supongamos que de niño, usted siempre trataba de portarse bien para conseguir ciertas cosas como buenas relaciones, aprobación, satisfacción personal, etc. Diga(n) usted(es) para qué se portaba(n) bien.

Ejemplos: Me portaba bien para que *les gustara a otros.*
Me portaba bien para que *me sintiera contento conmigo mismo.*

Oración: Me portaba bien para que _____

_____

_____

_____

Ejercicios: ¿Quién dice que se portaba bien para que _____ ?
X, ¿qué dice Y?
X, de estas cosas, ¿para qué nos portábamos bien?
Z, de estas razones, ¿para qué se portaba bien usted?
Y, X se portaba bien para que _____ . ¿Cierto o falso?

Focus: subjunctive governed by *con tal que* + past tense

De niño(a), usted siempre hacía lo que decían sus padres, con tal que existieran ciertas condiciones. Nombre(n) usted(es) esas condiciones.

Ejemplos: Hacía lo que me decían mis padres, con tal que *la razón fuera sólida.*
Hacía lo que me decían mis padres, con tal que *no me forzaran.*

Oración: Hacía lo que me decían mis padres, con tal que

_____

_____

_____

_____

Ejercicios: ¿Quién dice que hacía lo que decían sus padres con tal que _____ ?
X, ¿qué dice Y?
Z, en cuanto a estas cosas, cuando usted hacía lo que decían sus padres, ¿con qué condiciones lo hacía usted?
Y, X hacía lo que decían sus padres, con tal que _____ . ¿Cierto o falso?

Focus: direct object

Supongamos que usted está caminando por un túnel de amor. Las cosas en el túnel de amor le fascinan. Nombre(n) unas cosas que ve(n) en el túnel de amor.

Ejemplos: En el túnel de amor veo *a un chico con un arco y flecha.*
                 En el túnel de amor veo *un bikini.*

Oración: En el túnel de amor veo _____

                                     _____

                                     _____

                                     _____

Ejercicios: ¿Qué ve *X* en el túnel de amor?
                  ¿Quién ve un(a) _____ ?
                  Y, ¿qué dice *X*?
                  Z, de estas cosas, ¿qué ve usted en el túnel de amor?
                  Y, X ve _____. ¿Cierto o falso?

Modificaciones: "...por un túnel largo..., ...por una casa de vampiras...,
                       ...por un valle de gigantes..., ...por una discoteca elec-
                       trificante..., ...por una fábrica de robotes..., ...por un
                       bosque mágico..., etc.

Focus: single verb + direct object

Supongamos que usted está aislado(a) en una isla. No hay nadie más. Por fin pasa un carguero y usted puede pedir unas cosas. ¿Qué pide usted? Nombre(n) usted(es) las cosas que pide(n).

Ejemplos: Pido *muchos fósforos.*
              Pido *a un(a) compañero(a).*

Oración: Pido _____

_____

_____

_____

Ejercicios: ¿Qué pide *X*?
                ¿Quién pide _____?
                X, ¿qué pide *Y*?
                Z, ¿qué dice *X*?
                Z, de estas cosas, ¿qué pide usted?
                Z, de estas cosas, ¿qué pedimos nosotros?

Focus: verb *saber* + *que*-clause as direct object

Supongamos que hay una gran operación de drogas aquí en nuestra ciudad. La policía sabe muchos detalles del caso. Usted es uno de los investigadores. Nombre(n) usted(es) unas cosas que sabe la policía del caso.

Ejemplos: La policía sabe que *Columbo está investigando el caso.*
              La policía sabe que *Juanito el drogadicto es el líder.*

Oración: La policía sabe que _____

_____

_____

_____

Ejercicios: ¿Qué dice *X* que sabe la policía?
                ¿Quién dice que la policía sabe que _____?
                Z, ¿qué dice *X*?
                Z, de estas cosas, ¿qué dice usted que sabe la policía?
                Y, *X* dice que la policía sabe que _____. ¿Cierto o falso?

Focus: direct object + *que*-clause as an adjective

Supongamos que sus amigos le dieron a usted unos regalos de sorpresa. Son cosas que usted siempre ha querido tener. Diga(n) qué regalos tiene(n) y de qué son.

Ejemplos: Tengo *un elefante en miniatura* que es de *marfil.*
Tengo *un reloj* que es de *plata.*

Oración: Tengo _____ que es de _____

_____   _____

_____   _____

_____   _____

Ejercicios: ¿Quién tiene _____ que es de _____?
¿De qué es _____ que tiene *X*?
X, ¿qué tiene *Y* y de qué es?
Z, ¿qué dice *X*?
Z, de estas cosas, ¿qué tiene usted y de qué es?

Focus: *que*-clause as direct object of main verb

Supongamos que usted puede oír todas las cosas que se dicen en la oficina central de la policía. No hay nada que usted no pueda oír. Diga(n) usted(es) unas cosas que oye(n).

Ejemplos: Oigo que *van a poner fin a un nido de ladrones.*
Oigo que *la policía tiene un nuevo gas lacrimógeno.*

Oración: Oigo que _____

_____

_____

_____

Ejercicios: ¿Quién oye que _____?
X, ¿qué oye *Y*?
Z, ¿qué dice *X*?
X, de estas cosas, ¿qué oímos nosotros?
Z, de estas cosas, ¿qué oye usted?

Focus: *que*-clause as direct object of main verb

Supongamos que usted puede cambiar de lugar con su mejor amigo(a). Usted ahora es su amigo(a) y él o ella es usted. Como su amigo(a), usted tiene ciertas opiniones de la otra persona, que ahora es usted. Nombre(n) usted(es) algunas opiniones que tiene(n) de la otra persona, que ahora es usted.

Ejemplos: Creo que mi amigo *está un poco desanimado.*
Creo que mi amiga *es muy guapa.*

Oración: Creo que mi amigo(a) _____

_____

_____

_____

Ejercicios: ¿Quién cree que su amigo(a) _____ ?
X, ¿qué dice *Y*?
Z, de estas cosas, ¿qué piensa usted de su amigo?
Y, X piensa que su amigo(a) _____. ¿Cierto o falso?

Focus: single verb + direct object

Supongamos que las paredes en su casa tienen oídos. Estas paredes lo oyen todo que ocurre en su casa. Nombre(n) unas cosas que las paredes oyen.

Ejemplos: Las paredes oyen *que comemos ruidosamente.*
Las paredes oyen *nuestras conversaciones sobre nuestros amigos.*

Oración: Las paredes oyen _____

_____

_____

_____

Ejercicios: ¿Quién dice que las paredes oyen _____ ?
X, ¿qué oyen las paredes de *Y*?
Z, ¿qué dice *X*?
Z, de estas cosas, ¿qué oyen las paredes en su casa?
Y, las paredes en la casa de *X* oyen _____. ¿Cierto o falso?

Focus: direct object pronoun

Supongamos que usted es un agente secreto en un país enemigo. Usted ha recobrado un importante documento secreto y ahora usted lo esconde para que los agentes enemigos no lo descubran. Diga(n) dónde lo pone(n).

Ejemplos: Lo pongo *detrás del piano.*
Lo pongo *en la heladera.*

Oración: Lo pongo _____

_____

_____

_____

Ejercicios: ¿Dónde lo pone *X*?
¿Quién lo pone en _____?
X, ¿dónde lo pone *Y*?
Y, ¿qué dice *X*?
Z, de estos lugares, ¿dónde lo pone usted?
Y, *X* lo pone en _____. ¿Cierto o falso?

Focus: direct object + indirect object pronoun

Supongamos que usted está en una tierra de fantasía. Va a la fiesta de sorpresa del rey. Todo el mundo tiene que llevar un regalo de sorpresa. Usted quiere dar un buen regalo de sorpresa. Nombre(n) unos regalos de sorpresa que le dará(n) al rey en la fiesta.

Ejemplos: Le daré *una manzana de oro.*
Le daré *un cocodrilo que hable.*

Oración: Le daré _____

_____

_____

_____

Ejercicios: ¿Quién le dará _____?
X, ¿qué le dará *Y*?
Z, ¿qué dice *X*?
Z, de todos estos regalos, ¿qué le dará usted?
Y, *X* le dará _____. ¿Cierto o falso?

Focus: indirect object pronoun

Piense usted en unas cosas muy diferentes e imaginativas que le interesen. Diga(n) las cosas que le(s) interesan.

Ejemplos: Me interesan *los estudios de la astrología y la magia.*
Me interesa *la exploración del espacio.*

Oración: Me interesa(n) _____

_____

_____

_____

Ejercicios: ¿Qué interesa a *X*?
¿A quién le interesa _____?
X, ¿qué le interesa a *Y*?
Y, ¿qué dice *X*?
X, de estas cosas, ¿qué nos interesa a nosotros?
Z, de estas cosas, ¿qué le interesa a usted?
Y, a *X* le interesa _____. ¿Cierto o falso?

Focus: indirect object pronoun and *si*-clause

Supongamos que usted es un sargento en el ejército. Hay muchas cosas humorísticas y cómicas que hacen los soldados en el ejército. Usted quiere preguntar si los soldados de su escuadra hacen ciertas cosas cómicas. Nombre(n) usted(es) unas cosas cómicas que les pregunta(n) si las hacen.

Ejemplos: Les pregunto si *juegan al futbol desnudos.*
Les pregunto si *ponen polvo en la cama del general.*

Oración: Les pregunto si _____

_____

_____

_____

Ejercicios: ¿Qué les pregunta *X*?
¿Quién les pregunta si _____?
X, ¿qué les pregunta *Y*?
Z, ¿qué dice *X*?
Z, de estas cosas, ¿qué les pregunta usted?

**Focus: indirect object pronoun + verb phrase
with *dejar* + infinitive verb phrase**

Supongamos que usted es el padre o la madre de su familia. Usted le va a dejar hacer cualquier cosa a su hijo o hija este fin de semana. Nombre(n) usted(es) unas cosas que le va(n) a dejar hacer.

Ejemplos: Le voy a dejar *dormir hasta el mediodía.*
Le voy a dejar *ir a las montañas.*

Oración: Le voy a dejar _____

_____

_____

_____

Ejercicios: ¿Qué le va a dejar hacer?
¿Quién le va a dejar _____?
X, ¿qué le va a dejar hacer Y?
Z, ¿qué dice X?
Z, de estas cosas, ¿que le va a dejar hacer usted?

Focus: indirect object pronoun + noun phrase as direct object

Recientemente, sin duda, alguien le dijo a usted algo. Piense en lo que alguien le dijo a usted recientemente. Nombre(n) usted(es) las cosas que alguien le(s) dijo recientemente.

Ejemplos: Alguien me dijo *el nombre de la rubia bonita.*
Alguien me dijo *que más vale tarde que nunca.*

Oración: Alguien me dijo _____

_____

_____

_____

Ejercicios: ¿Quién dice que alguien le dijo _____?
X, ¿qué le dijo alguien a Y?
Y, ¿qué dijo X?
X, de estas cosas, ¿qué nos dijo alguien?
Z, de estas cosas, ¿qué le dijo alguien a usted?
Y, alguien le dijo a X _____. ¿Cierto o falso?

Focus: indirect object pronoun + *que*-clause as direct object

Los ojos brillantes de una hermosa mujer nos comunican algo bueno. Nombre(n) usted(es) unas cosas que le(s) dicen los ojos brillantes de una hermosa mujer.

Ejemplos: Los ojos brillantes de una hermosa mujer me dicen que *sería bueno conocerla.*

Los ojos brillantes de una hermosa mujer me dicen que *ella es una persona feliz.*

Oración: Los ojos brillantes de una hermosa mujer me dicen que

_____

_____

_____

Ejercicios: ¿Quién dice que estos ojos le dicen que _____?

X, ¿qué dice Y?

Z, de estas cosas, ¿qué le dicen estos ojos a usted?

X, de estas cosas, ¿qué nos dicen estos ojos a nosotros?

Y, X dice que los ojos brillantes le dicen que _____. ¿Cierto o falso?

Focus: indirect object + direct object as *que*-clause

Digamos que su madre fue gravemente herida cuando hoy la atropelló un coche. Ella está en el hospital con muchas vendas. Usted va pronto al hospital para verla. No está seguro(a) de lo que le dirá después de saludarla. Diga(n) algunas cosas que le dirá(n) usted(es).

Ejemplos: Le diré que *yo vine tan rápido como me fue posible.*

Le diré que *estoy contento(a) de que ella está a salvo.*

Oración: Le diré que _____

_____

_____

Ejercicios: ¿Qué le dirá X?

¿Quién le dirá que _____?

X, ¿qué le dirá Y?

Z, ¿qué dice X?

X, de estas cosas, ¿qué le diremos?

Z, de estas cosas, ¿qué le dirá usted?

Focus: indicative mood in *que*-clause reporting information

Supongamos que usted se pasea por su barrio. De repente un amigo suyo se acerca a usted. El está muy animado y le dice algunas cosas sorprendentes. Nombre(n) usted(es) unas cosas que le(s) dice su amigo.

Ejemplos: El me dice que *mi casa está ardiendo.*
El me dice que *se cae el cielo.*

Oración: El me dice que _____

_____

_____

_____

Ejercicios: ¿Qué le dice el amigo de *X*?
¿Quién dice que el amigo le dice que _____?
X, ¿qué le dice el amigo de *Y*?
Z, ¿qué dice *X*?
Z, de estas cosas, ¿qué le dice su amigo?

Focus: indicative mood in *que*-clause reporting information

Supongamos que usted tiene un perro que habla. Solamente usted sabe que el perro puede hablar. El perro le entiende a usted y usted le entiende al perro. El perro tiene algunas cosas para decirle a usted. Nombre(n) unas cosas que el perro le(s) dice a usted(es).

Ejemplos: El perro me dice que *los gatos son tontos.*
El perro me dice que *va a llover.*

Oración: El perro me dice que _____

_____

_____

_____

Ejercicios: ¿Qué le dice el perro a *X*?
¿Quién dice que el perro le dice que _____?
X, ¿qué le dice el perro de *Y*?
Z, ¿qué dice *X*?
Z, de estas cosas, ¿qué le dice el perro a usted?

Focus: *que*-clause with verb in indicative mood

Supongamos que usted está en una corte de tráfico por una pequeña infracción de la ley de conducción. El policía dijo que usted conducía a una velocidad alta. Usted cree que no tiene la culpa. Nombre(n) usted(es) algunas cosas que le dirá(n) al juez acerca del caso.

Ejemplos: Le diré que *el policía está equivocado.*
                Le diré que *yo sé que conducía a la velocidad legal.*

Oración: Le diré que _____

_____

_____

_____

Ejercicios: ¿Qué le dirá *X* al juez?
             ¿Quién le dirá que _____ ?
             X, ¿qué le dirá *Y* al juez?
             Y, ¿qué dice *X*?
             Z, de estas cosas, ¿qué le dirá al juez?

Focus: direct object and inanimate indirect
object + corresponding pronoun

Supongamos que usted tiene un sombrero sencillo. Usted quiere arreglarlo para que sea más personal. Diga(n) lo que le pondrá(n) al sombrero para que sea más personal.

Ejemplos: Le pondré al sombrero *una caña de pescar.*
                Le pondré al sombrero *un plátano.*

Oración: Le pondré al sombrero _____

_____

_____

_____

Ejercicios: ¿Qué le pondrá *X* al sombrero?
             ¿Quién le pondrá al sombrero _____ ?
             X, ¿qué dice *Y*?
             X, de estas cosas, ¿qué le pondremos al sombrero?
             Z, de estas cosas, ¿qué le pondrá usted al sombrero?
             Y, *X* le pondrá _____. ¿Cierto o falso?

Focus: indirect object + direct object

Supongamos que recientemente usted apareció en un programa de juegos de televisión y ganó un coche nuevo y unos muebles nuevos. Así que ahora usted va a regalar su coche viejo y los muebles usados a alguien. Nombre(n) a las personas a quienes se los da(n) usted(es).

Ejemplos: Se los doy a *la Reina de Inglaterra*.
Se los doy a *mi profesor*.

Oración: Se los doy a _____

_____

_____

_____

Ejercicios: ¿A quién se los da *X*?
¿Quién se los da a _____ ?
X, qué dice *Y*?
X, de estas personas, ¿a quién se los damos nosotros?
Z, de estas personas, ¿ a quién se los da usted?
Y, ¿se los dará usted a _____ o a _____ ?

Focus: direct object + indirect object

Usted sabe que un buen amigo suyo ha robado un libro de la biblioteca. Esta persona no es su mejor amigo, pero es un amigo. Usted se lo dice a alguien. Nombre(n) usted(es) a las personas a quienes se lo dice(n).

Ejemplos: Se lo digo a *mi amigo*.
Se lo digo al *bibliotecario*.

Oración: Se lo digo a _____

_____

_____

_____

Ejercicios: ¿A quién se lo dice *X*?
¿Quién se lo dice a _____ ?
X, ¿qué dice *Y*?
X, de estas personas, ¿a quién se lo decimos?
Z, de estas personas, ¿a quién se lo dice usted?

Focus: reflexive verb + adjective

Supongamos que usted es una persona muy modesta. La semana pasada, como jugador sustituto de basquetbol, le dejaron participar en el partido de campeonato y usted hizo el último gol que ganó el partido. Todo el mundo en la escuela cree que usted es un héroe o una heroina. ¿Cómo se siente usted? Diga(n) cómo se siente(n).

Ejemplos: Me siento *estupendo(a)*.
Me siento *normal*.

Oración: Me siento _____

_____

_____

_____

Ejercicios: ¿Cómo se siente *X*?
¿Quién dice que se siente _____?
X, de estas cosas, ¿cómo nos sentimos?
Z, de estas cosas, ¿cómo se siente usted?

Focus: reflexive verb form—*poner(se)*

Digamos que el lugar a donde va usted determina la ropa que usted se pone. Supongamos que usted quiere ir a algunos lugares muy interesantes. Diga(n) a dónde va(n) y la ropa que se pone(n).

Ejemplos: Para ir al *gimnasio*, me pongo *los pantalones cortos y las zapatillas*.
Para ir a *Londres*, me pongo *los zapatos amarillos y rojos*.

Oración: Para ir a _____, me pongo _____

_____   _____

_____   _____

_____   _____

Ejercicios: ¿Quién se pone _____ para ir a _____?
X, ¿qué se pone *Y*?
Y, ¿qué dice *X*?
X, de estas cosas, ¿qué nos ponemos para ir a _____?
Z, de estas cosas, ¿qué se pone usted para ir a _____?

Focus: reflexive pronoun

Supongamos que usted va a conocer a su ídolo favorito (héroe, heroina, gran persona, etc.). Para salir con él o ella, usted quiere arreglarse con especial cuidado. Nombre(n) usted(es) unas cosas que hace(n) para prepararse para ese día especial.

Ejemplos: Me *compro un vestido nuevo.*
Me *lavo el pelo.*

Oración: Me _____

_____

_____

_____

Ejercicios: ¿Qué hace *X*?
¿Quién se _____ ?
X, ¿qué hace *Y*?
Y, ¿qué dice *X*?
Z, de estas cosas, ¿qué hace usted?

Focus: reflexive verbs as passive voice construction

Vamos a suponer que el mundo se cambia por completo. Todo se ve o se hace diferente a cómo se veía o se hacía antes: se construyen las casas en un día; se oye el océano en el desierto; se obtiene una educación antes del nacimiento; todos los cumpleaños se celebran el mismo día. Nombre(n) usted(es) algunas cosas más que se hacen o se ven diferentes.

Ejemplos: Se *aprenden las ideas viejas y se olvidan las nuevas.*
Se *pintan cuadros en las nubes.*
Se *cantan los sueños.*

Oración: Se _____

_____

_____

_____

Ejercicios: ¿Quién dice que se _____ ?
X, ¿qué dice *Y*?
Z, de estas cosas, ¿qué piensa usted que se ve/hace?
Y, *X* dice que se _____ . ¿Cierto o falso?

Focus: reflexive verb + indirect object pronoun
(unintentional incident)

Todos hemos tenido la experiencia de romper algo. A veces rompemos algo intencionalmente y a veces se nos rompe algo accidentalmente. Piense usted en algo que una vez se le rompió accidentalmente. Nombre(n) usted(es) esas cosas que se le(s) rompieron.

Ejemplos: Una vez se me rompió *un espejo.*
              Una vez se me rompió *un hueso de mi mano.*

Oración: Una vez se me rompió _____

              _____

              _____

              _____

Ejercicios: ¿Qué se le rompió a *X* una vez?
                ¿A quién se le rompió _____?
                X, ¿qué cosa se le rompió a *Y*?
                Z, ¿qué dice *X*?
                Z, de estas cosas, ¿qué se le rompió a usted?

Focus: reflexive verb + indirect object pronoun
(unexpected occurrence)

Todos hemos tenido la experiencia de que se nos ocurre una idea inesperadamente. Nombre(n) usted(es) unas ideas que de repente se le(s) ocurrieron alguna vez.

Ejemplos: Se me ocurrió que *no pude volar a la luna.*
              Se me ocurrió que *tengo muchas oportunidades en la vida.*

Oración: Se me ocurrió que _____

              _____

              _____

              _____

Ejercicios: ¿Qué idea se le ocurrió a *X*?
                ¿A quién se le ocurrió que _____?
                Z, ¿qué dice *X*?
                X, de estas cosas, ¿qué idea se nos ocurrió a nosotros?
                Z, de estas cosas, ¿qué idea se le ocurrió a usted?

**Focus: reflexive verb + indirect object pronoun
(surprised forgetfulness)**

Todos hemos tenido la experiencia de olvidar algo sin intenciones. Es decir, se
nos olvidó algo sin querer hacerlo. Nombre(n) usted(es) unas cosas que se le(s)
olvidaron.

Ejemplos: Se me olvidó *telefonear a mi novia.*
Se me olvidaron *mis anteojos y no pude ver.*

Oración: Se me olvidó _____

(olvidaron) _____

_____

_____

Ejercicios: ¿Qué se le olvidó a *X*?
¿Quién dice que se le olvidó (olvidaron) _____?
X, ¿qué cosa se le olvidó a *Y*?
Z, ¿qué dice *X*?
Z, de estas cosas, ¿qué cosas se le olvidaron a usted?

Focus: *gustar* + any other verb

Usted es usted. Hay muchas cosas que le gusta hacer, pero otras personas
insisten en hacerlas por usted. Nombre(n) usted(es) unas cosas que le(s) gusta
hacer por sí mismo(s)/misma(s).

Ejemplos: Me gusta *comprar mi propia ropa.*
Me gusta *decidir qué comer.*

Oración: Me gusta _____

_____

_____

_____

Ejercicios: ¿A quién le gusta _____?
X, ¿qué dice *Y*?
X, de estas cosas, ¿qué nos gusta hacer a nosotros?
Z, de estas cosas, ¿qué le gusta hacer a usted?
Y, a *X* le gusta _____. ¿Cierto o falso?

Focus: *gustar* + infinitive verb phrase as subject

De niños, a todos nos gustaba ir a ciertos lugares especiales o favoritos. ¿A dónde le gustaba ir a usted? ¿Nombre(n) usted(es) unos lugares a dónde le(s) gustaba ir cuando era(n) niño(s).

Ejemplos: De niño(a) me gustaba ir *a las montañas.*
De niño(a) me gustaba ir *al cine.*

Oración: De niño(a) me gustaba ir _____

_____

_____

_____

Ejercicios: ¿A dónde le gustaba ir a *X*?
¿A quién le gustaba ir a _____ ?
X, ¿qué dice *Y*?
Z, de estos lugares, ¿a dónde le gustaba ir a usted?
Y, a *X* le gustaba ir a _____. ¿Cierto o falso?
Y, ¿a usted le gustaba ir a _____ o a _____ ?

Focus: *gustar* + subject

Todos tenemos ideales o valores en que creemos. Nos gustan estos valores porque los necesitamos como guías en nuestras vidas. Nombre(n) los ideales o valores que le(s) gustan a usted(es).

Ejemplos: Me gusta *la sabiduría oriental.*
Me gusta *estar en el campo solo.*

Oración: Me gusta(n) _____

_____

_____

_____

Ejercicios: ¿A quién le gusta _____ ?
X, ¿qué le gusta a *Y*?
Z, ¿qué dice *X*?
X, de estas cosas, ¿qué nos gusta a nosotros?
Z, de estas cosas, ¿qué le gusta a usted?

Focus: *gustar* + **infinitive verb phrase as subject**

Todos tenemos interés en escuchar a personas fascinantes o escuchar buena música. Hay muchas cosas que a usted le gusta escuchar. Nombre(n) a las personas o cosas que le(s) gusta escuchar.

Ejemplos: Me gusta escuchar *el zumbido de abejas.*
Me gusta escuchar *la música ranchera.*

Oración: Me gusta escuchar _____

_____

_____

_____

Ejercicios: ¿A quién le gusta escuchar _____?
X, ¿qué dice Y?
Z, de estas cosas, ¿qué le gusta escuchar a usted?
Y, a X le gusta escuchar _____. ¿Cierto o falso?

Focus: *gustar* + **infinitive verb phrase as subject**

Supongamos que usted es bastante pobre y tiene que pasar mucho tiempo trabajando para ganarse la vida. Usted no tiene mucho tiempo libre. Nombre(n) usted(es) unas cosas que le(s) gusta hacer con su tiempo libre.

Ejemplos: Me gusta *descansar en el parque.*
Me gusta *hablar con mis amigos.*

Oración: Me gusta _____

_____

_____

_____

Ejercicios: ¿A quién le gusta _____?
X, ¿a Y qué le gusta hacer?
Y, ¿qué dice X?
Z, de estas cosas, ¿qué le gusta hacer?
Y, a X le gusta _____. ¿Cierto o falso?

Focus: *gustar* + **subject**

Todos tenemos interés en las actividades deportivas o recreativas porque estas actividades nos ayudan a ser la persona que queremos llegar a ser. Nombre(n) usted(es) las actividades deportivas o recreativas que a usted(es) le(s) gustan.

Ejemplos: Me gustan *la natación y la aviación.*
               Me gusta *el ajedrez.*

Oración: Me gusta(n) _____

               _____

               _____

               _____

Ejercicios: ¿A quién le gusta(n) _____ ?
               X, ¿qué le gusta a Y?
               Y, ¿qué dice X?
               X, de estas actividades, ¿cuál nos gusta a nosotros?
               Z, de estas actividades, ¿cuál le gusta a usted?

Focus: **infinitive verb as subject of** *fascinar*

Con frecuencia encontramos algo que nos fascina: una canción, una persona, un lugar especial, o hacer algo. Piense(n) usted(es) en algo muy interesante de hacer que le(s) fascine. Diga(n) qué le(s) fascina.

Ejemplos: Me fascina *volar.*
               Me fascina *hacerme rico.*

Oración: Me fascina _____

               _____

               _____

               _____

Ejercicios: ¿Quién dice que le fascina _____ ?
               X, ¿qué le fascina a Y?
               Y, ¿qué dice X?
               X, de estas cosas, ¿qué nos fascina?
               Z, de estas cosas, ¿qué le fascina a usted?
               Y, a X le fascina _____. ¿Cierto o falso?

Focus: verb phrase *se parece a* + pronoun

Supongamos que hay personas que se parecen a usted. Si es posible esto, diga(n) quién se parece más a usted(es).

Ejemplos: *El ratón Mickey* se parece más a mí.
El jefe de bomberos se parece más a mí.

Oración: _____ se parece más a mí. ,

_____

_____

_____

Ejercicios: ¿Quién se parece más a Z?
X, ¿qué dice Y?
X, de estas personas, ¿quién se parece más a nosotros?
Z, de estas personas, ¿quién se parece más a usted?
Y, X se parece más a _____. ¿Cierto o falso?

Focus: preposition *para* + infinitive verb phrase

Toda persona ha tenido la experiencia de querer hacerse el grande. Supongamos que por alguna razón usted ahora tiene motivos de hacerse el grande. Nombre(n) unas razones para qué quiere(n) hacerse el grande.

Ejemplos: Quiero hacerme el grande para *ser más importante.*
Quiero hacerme el grande para *controlar a otras personas.*

Oración: Quiero hacerme el grande para _____

_____

_____

_____

Ejercicios: ¿Para qué quiere X hacerse el grande?
¿Quién quiere hacerse el grande para _____?
X, ¿para qué quiere Y hacerse el grande?
Z, ¿qué dice X?
Z, de estas cosas, ¿para qué quiere hacerse usted el grande?

Focus: preposition *para* + infinitive verb phrase

Supongamos que usted es el superpadre o la supermadre. Ayer su niño, Super-niño, quería hacer unas cosas sobrenaturales. Y como es un niño bueno, le pidió a usted permiso. Usted, como buen padre o buena madre, le dio permiso para hacerlas. Nombre(n) usted(es) unas cosas sobrenaturales que le dio (dieron) permiso para hacer.

Ejemplos: Le di permiso para *tirar una lanza hasta el polo norte.*
              Le di permiso para *manejar el carro explorador.*

Oración: Le di permiso para _____

             _____

             _____

             _____

Ejercicios: ¿Qué le dio *X* permiso para hacer?
                ¿Quién le dio permiso para _____ ?
                Z, ¿qué dice *X*?
                Z, de estas cosas, ¿qué le dio usted permiso para hacer?
                Y, X le dio permiso para _____ . ¿Cierto o falso?

Focus: preposition *para* (by a certain time, deadline)

Usted es un científico importante. Usted tiene prisa por inventar una vacuna para una epidemia que está infectando a todo el país. Nombre(n) usted(es) unos tiempos posibles para cuando tendrá(n) preparada la medicina.

Ejemplos: Tendré la medicina preparada para *esta noche.*
Tendré la medicina preparada para *el próximo mes.*

Oración: Tendré la medicina preparada para _____

_____

_____

_____

Ejercicios: ¿Para cuándo tendrá *X* la medicina preparada?
¿Quién tendrá la medicina preparada para _____ ?
X, ¿para cuándo tendrá *Y* la medicina preparada?
Z, ¿qué tendrá preparada *Y* para _____ ?
Z, de estos plazos de tiempo, ¿para cuándo tendrá usted la medicina preparada?

Focus: preposition *para* (for, toward a designated person)

Supongamos que estamos ahora en el último siglo del mundo. Usted es el jefe del mundo y está distribuyendo las cosas del mundo entre sus amigos. Nombre(n) unas cosas y diga(n) para quiénes son.

Ejemplos: *El polo norte* es para *Bill.*
El ecuador es para *mi maestro.*

Oración: _____ es para _____

_____   _____

_____   _____

_____   _____

Ejercicios: ¿Según *X*, para quién es (son) _____ ?
X, ¿quién dice que _____ es (son) para _____ ?
Y, ¿qué dice *X*?
Y, *X* dice que _____ es (son) para _____. Cierto o falso?
Y, ¿es _____ para _____ o para _____ ?

Focus: prepositional phrase *por* (by means of)

Supongamos que usted tiene la oportunidad de viajar alrededor del mundo. Pero usted no quiere viajar por un medio normal, es decir, por barco o por avión. Nombre(n) los medios por los cuales usted(es) va(n) a viajar.

Ejemplos: Voy a viajar por *globo.*
Voy a viajar por *tabla deslizadora.*

Oración: Voy a viajar por _____

_____

_____

_____

Ejercicios: ¿Cómo va a viajar *X*?
¿Quién va a viajar por _____?
X, ¿cómo va a viajar *Y*?
Z, ¿qué dice *X*?
Z, de estos medios, ¿cómo va a viajar usted?
Y, *X* va a viajar por _____. ¿Cierto o falso?

Focus: preposition *por* (in favor of) + infinitive verb phrase

---

Muchas veces en la vida diaria, cuando otras personas no quieren hacer nada, nosotros queremos hacer una cosa en particular. Es decir que estamos por hacerlo. Piense usted en unas cosas que está por hacer. Nombre(n) usted(es) las cosas que está(n) por hacer.

Ejemplos: Estoy por *ir a las montañas.*
Estoy por *jugar a las cartas.*

Oración: Estoy por _____

_____

_____

_____

Ejercicios: ¿Qué está por hacer *X*?
¿Quién está por _____?
Z, ¿qué dice *X*?
Z, de estas cosas, ¿qué está por hacer usted?
Y, *X* está por _____. ¿Cierto o falso?

Focus: verb *ir* + *por* (go "for" something)

Usted está en una situación muy crítica. Ha habido una explosión en su casa. Hay fuego. Hay tiempo para entrar y salvar pocas cosas. Nombre(n) usted(es) las cosas por las cuales va(n).

Ejemplos: Voy por *mi álbum de fotos.*
Voy por *mi bicicleta.*

Oración: Voy por _____

_____

_____

_____

Ejercicios: ¿Por qué cosa va *X*?
¿Quién dice que va por _____?
X, ¿por qué cosa va *Y*?
Y, ¿qué dice *X*?
Z, de estas cosas, ¿por qué cosa va usted?
Y, ¿va usted por _____ o por _____?

Focus: preposition *por* (by, through, along side of)

Supongamos que usted encontró un mapa de un tesoro. Usted siguió las indicaciones del mapa y encontró el tesoro. ¡Qué suerte! Ahora usted está explicándole a un amigo los lugares por los cuales pasó. Nombre(n) usted(es) los lugares interesantes por los que usted(es) pasó(pasaron).

Ejemplos: Pasé por *un montón de heno.*
Pasé por *una comisaría de policía.*

Oración: Pasé por _____

_____

_____

_____

Ejercicios: ¿Por dónde pasó *X*?
¿Quién dice que él/ella pasó por _____?
X, ¿qué dice *Y*?
Z, de estos lugares, ¿por dónde pasó usted?
Y, *X* pasó por _____. ¿Cierto o falso?
Y, ¿pasó usted por _____ o por _____?

Focus: preposition *por* + period of time

Cada uno de nosotros puede quedarse bajo agua por un rato. Diga(n) usted(es) por cuánto tiempo cree(n) que puede(n) quedarse bajo agua sin ninguna ayuda mecánica.

Ejemplos: Creo que puedo quedarme bajo agua por *un minuto.*
Creo que puedo quedarme bajo agua por *noventa segundos.*

Oración: Creo que puedo quedarme bajo agua por _____

_____

_____

_____

Ejercicios: ¿Quién puede quedarse bajo agua por _____ ?
X, ¿qué dice Y?
Z, de estos períodos de tiempo, ¿por cuánto tiempo puede usted quedarse bajo agua?
Y, X puede quedarse bajo agua por _____. ¿Cierto o falso?

Focus: preposition *por* (in exchange for)

Supongamos que usted es el padre o la madre de una familia pobre de tres niños pequeños. Vaya usted a "El Ejército de Salvación" y compre cuánta ropa para niños como pueda por veinte dólares. Nombre(n) usted(es) los artículos de ropa que usted(es) compra(n) y el costo de cada artículo.

Ejemplos: Compro *dos vestidos* por *tres* dólares.
Compro *tres camisas* por *un* dólar.

Oración: Compro _____ por _____ dólares.

_____   _____

_____   _____

_____   _____

Ejercicios: ¿Qué compra X por _____ ?
¿Quién compra _____ por _____ ?
X, ¿qué compra usted por _____ ?
Y, ¿qué dice X?
Z, de estas cosas, ¿qué compra usted por _____ ?

Focus: preposition *por* (in exchange for, for)

Vamos a suponer que usted desea vender unas cosas. Usted pone un anuncio en la sección de anuncios por palabras. Nombre(n) las cosas que usted(es) vende(n) y por cuánto dinero.

Ejemplos: Vendo *una bicicleta* por *cuarenta dólares.*
            Vendo *mi cabello* por *cien dólares.*

Oración: Vendo _____ por _____

            _____ _____

            _____ _____

            _____ _____

Ejercicios: ¿Qué vende X?
            ¿Quién vende _____ por _____?
            X, ¿qué vende Y?
            X, ¿por cuánto dinero vende Y _____?
            Z, ¿qué dice X?
            Z, de estas cosas, ¿qué vende usted y por cuánto dinero?

Focus: adjectives

Cada uno de nosotros tiene una opinión y nuestra opinión es válida. Trate de enumerar algunas características del típico estudiante americano de la universidad. En su opinión, ¿cómo es el típico estudiante americano de la universidad? Nombre(n) usted(es) algunas características típicas de un estudiante universitario americano.

Ejemplos: En mi opinión, un típico estudiante universitario es *serio.*
            En mi opinión, un típico estudiante universitario es *curioso.*

Oración: En mi opinión, un típico estudiante universitario es

Ejercicios: ¿Según X, cómo es el típico estudiante universitario?
            ¿Quién cree que el típico estudiante universitario es _____?
            X, ¿qué cree Y?
            Z, según estas cosas, en su opinión ¿cómo es el típico estudiante?
            Y, X cree que el típico estudiante universitario es _____. ¿Cierto o falso?

Focus: adjective clause with *que* + past tense and direct object of main verb

---

Supongamos que usted es científico. El año pasado usted inventó un instrumento que solucionó unos problemas de nuestro mundo industrializado. Nombre(n) usted(es) unos problemas que su instrumento solucionó.

Ejemplos: El instrumento que inventé solucionó el problema de *la destrucción de las abejas.*

El instrumento que inventé solucionó el problema *del transporte rápido.*

Oración: El instrumento que inventé solucionó el problema de

_____

_____

_____

_____

Ejercicios: ¿Qué problema solucionó el instrumento que *X* inventó?

¿Quién inventó el instrumento que solucionó el problema de _____?

X, ¿qué instrumento inventó *Y*?

Z, ¿qué dijo *X*?

Z, de estas cosas, ¿qué instrumento inventó usted?

Focus: adjective clause with *que*

Supongamos que usted tiene un secreto interesante. Usted no puede decirnos el secreto, pero nos puede decir de qué se trata el secreto. Diga(n) que usted(es) tiene(n) un secreto y algo de él.

Ejemplos: Tengo un secreto que *se trata de dinero.*

Tengo un secreto que *tiene que ver con la policía.*

Oración: Tengo un secreto que _____

_____

_____

_____

Ejercicios: ¿Qué secreto tiene *X*?

¿Quién tiene un secreto que _____?

Y, ¿qué secreto tiene *X*?

X, ¿qué dice *Y*?

Z, entre estas cosas, ¿qué secreto tiene usted?

Y, X tiene un secreto que _____. ¿Cierto o falso?

Focus: adjective clause with *que*

Vamos a suponer que usted es maestro(a). Usted está identificando algunos estudiantes suyos a otro maestro. Dé(n) usted(es) unas descripciones de sus estudiantes.

Ejemplos: El estudiante que *lleva gafas oscuras es inteligente.*
              La estudiante que *tiene pelo largo y rubio es sincera.*

Oración: La/el estudiante que _____

              _____

              _____

              _____

Ejercicios: ¿Qué estudiante es _____?
               ¿Quién dice que el/la estudiante que _____ es _____?
               X, según *Y,* ¿qué estudiante es _____?
               Z, ¿qué dice *X*?
               Z, de estos estudiantes, ¿cuál es _____?

Focus: predicate adjective or predicate nominative with *ser*

Supongamos que usted se ha muerto y ha ido a su paraíso. El paraíso es exactamente cómo usted imaginaba que sería. Describa(n) usted(es) qué es o cómo es su paraíso.

Ejemplos: Mi paraíso es *una gran casa de muchos colores vivientes.*
              Mi paraíso es *un gran restaurante que regala toda la comida gratis.*

Oración: Mi paraíso es un(a) _____

              _____

              _____

Ejercicios: ¿Quién dice que su paraíso es _____?
               X, ¿qué (cómo) es el paraíso de *Y*?
               Z, ¿qué dice *X*?
               Z, de estas cosas, ¿qué (cómo) es su paraíso?
               Y, el paraíso de *X* es _____. ¿Cierto o falso?
               Z, ¿es su paraíso _____ o _____?

Focus: *que*-clause as predicate nominative of *ser*

Supongamos que varios conocidos suyos se le acercan porque quieren que usted ingrese en su partido—el partido socialista. Antes de decidir, usted desea identificar unos aspectos del partido socialista. Nombre(n) usted(es) algunos aspectos del partido socialista.

Ejemplos: Un aspecto es que *cree en la igualdad para todos.*
            Un aspecto es que *promueve mucha burocracia.*

Oración: Un aspecto del partido socialista es que _____

_____

_____

_____

Ejercicios: ¿Quién dice que un aspecto del partido socialista es _____?
            X, ¿qué dice Y?
            Z, mirando estas cosas, ¿cuál es un aspecto de poca importancia?
            Y, X dice que un aspecto del partido socialista es _____. ¿Cierto o falso?

Focus: *que*-clause as predicate nominative of *ser*

Vamos a suponer que usted es el dueño de un mercado pequeño. Hay grandes mercados en el barrio. Usted no tiene capital para vender en grandes cantidades. Existen varios problemas para ganarse la vida en este pequeño mercado. Nombre(n) los problemas.

Ejemplos: El problema es que *la mayoría de mis clientes son niños.*
            El problema es que *hay grandes mercados cerca de aquí.*

Oración: El problema es que _____

_____

_____

_____

Ejercicios: ¿Quién dice que el problema es que _____?
            X, ¿qué dice Y?
            Z, de estos problemas, ¿cuál es el problema más serio?
            Y, X dice que el problema es que _____. ¿Cierto o falso?

Focus: adverbial clause as an adjective

Supongamos que usted ha inventado una máquina de tiempo en la cual usted puede volver a cualquier época del pasado. Diga(n) hasta qué épocas del pasado usted(es) vuelve(n) en la máquina y qué pueden hacer en aquellas épocas.

Ejemplos: Vuelvo hasta *la Edad Media* donde puedo *conocer a una doncella.*
Vuelvo hasta *los romanos antiguos* donde puedo *hablar con Nero.*

Oración: Vuelvo hasta _____ donde puedo _____

_____ _____

_____ _____

_____

Ejercicios: ¿Hasta dónde vuelve *X*?
¿Qué puede hacer *X* en _____ ?
¿Quién dice que vuelve hasta _____ ?
¿Quién dice que puede _____ ?
X, ¿qué dice *Y*?
Z, de estas cosas, ¿hasta dónde vuelve y qué puede hacer allí?

Focus: adverbial clause as an adjective

Supongamos que en este momento usted está montado(a) en bicicleta. Usted va a unos sitios muy interesantes. ¿Qué sitios son? Nombre(n) usted(es) unos sitios a dónde va(n) y diga(n) qué puede(n) hacer allí.

Ejemplos: Voy en bicicleta a *Alaska* donde puedo *vivir con los esquimales.*
Voy en bicicleta a *"Cape Kennedy"* donde puedo *ver un lanzamiento de cohete.*

Oración: Voy en bicicleta a _____ donde puedo _____

_____ _____

_____ _____

_____

Ejercicios: ¿A dónde va *X* en bicicleta?
¿Qué puede hacer *X* en _____ ?
¿Quién va a _____ donde puede _____ ?
X, ¿qué dice *Y*?
Z, de estas cosas, ¿a dónde va usted y qué puede hacer allí?

Focus: *comenzar (empezar) a* + infinitive verb phrase

Supongamos que usted es el profesor o la profesora de la clase. Es viernes y todo va muy regular. De repente, todos los estudiantes comienzan (empiezan) a hacer algunas cosas locas. Nombre(n) usted(es) las cosas locas que los estudiantes comienzan (empiezan) a hacer.

Ejemplos: Los estudiantes comienzan a *pararse de cabeza.*
Los estudiantes empiezan a *roncar.*

Oración: Los estudiantes comienzan a _____

_____

_____

_____

Ejercicios: ¿Qué dice *X* que los estudiantes comienzan a hacer?
¿Quién dice que los estudiantes empiezan a _____?
X, de estas cosas, ¿qué empezamos a hacer?
Z, de estas cosas, ¿qué piensa que los estudiantes comienzan a hacer?
Y, *X* dice que los estudiantes comienzan a _____. ¿Cierto o falso?

Focus: *empezar a* + infinitive verb phrase

Supongamos que usted empieza a leer algunas cosas que de veras le van a introducir a un mundo de ideas nuevas, experiencias y sentimientos. Estas cosas le dan a usted todo un nuevo propósito en la vida. Nombre(n) algunas cosas que usted(es) empieza(n) a leer.

Ejemplos: Empiezo a leer *sobre las religiones orientales.*
Empiezo a leer *revistas financieras.*

Oración: Empiezo a leer _____

_____

_____

_____

Ejercicios: ¿Quién empieza a leer _____?
X, ¿qué dice *Y*?
X, de estas cosas, ¿qué empezamos a leer?
Z, de estas cosas, ¿qué empieza a leer usted?
Y, *X* empieza a leer _____. ¿Cierto o falso?

Focus: *estar dispuesto* + *a* + infinitive verb phrase

Supongamos que usted es un científico loco que ha inventado un monstruo. En su locura, usted está dispuesto(a) a hacer algo loco o extraordinario. Nombre(n) usted(es) unas cosas locas o extraordinarias que está(n) dispuesto(a)(s) a hacer.

Ejemplos: Con mi monstruo estoy dispuesto a *modificar el sistema político.*
Con mi monstruo estoy dispuesta a *confundir a todas las máquinas.*

Oración: Con mi monstruo estoy dispuesto(a) a _____

_____

_____

_____

Ejercicios: ¿Qué está dispuesto(a) a hacer *X*?
¿Quién está dispuesto(a) a _____ ?
Z, ¿qué dice *X*?
Z, de estas cosas, ¿qué está dispuesto(a) a hacer usted?
Y, *X* está dispuesto(a) a _____. ¿Cierto o falso?

Focus: *deber de* + infinitive verb phrase

Supongamos que usted es un gran mago. Usted es la única persona en el mundo que puede dar consejos. Usted da consejos sobre lo que la gente debe de hacer. Nombre(n) usted(es) a unas personas y diga(n) lo que ellas deben de hacer.

Ejemplos: Mi hermano debe de *dejarme en paz.*
Tomás debe de *estudiar más.*

Oración: _____ debe de _____

_____ _____

_____ _____

Ejercicios: ¿Qué dice *X* lo que debe de hacer *Y*?
¿Quién debe de _____ ?
¿Quién dice que _____ debe de _____ ?
Z, ¿qué dice *X*?
X, de estas cosas, ¿qué debemos de hacer?
Z, de estas cosas, ¿qué debe de hacer usted?

Focus: *dejar de* + infinitive verb phrase

Muchas veces no queremos continuar haciendo una cosa. Es decir, dejamos de hacerlo. Piense(n) usted(es) en unas cosas que dejó(dejaron) de hacer el año pasado.

Ejemplos: Dejé de *fumar*.
              Dejé de *salir con un chico que conocía.*

Oración: Dejé de _____

             _____

             _____

             _____

Ejercicios: ¿Qué dejó de hacer X?
                ¿Quién dejó de _____ ?
                X, ¿qué dejó de hacer Y?
                Z, ¿qué dijo X?
                Z, de estas cosas, ¿qué dejó de hacer usted?

Focus: *ver(se) obligado a* + infinitive verb phrase + *por*
(on behalf of)

Supongamos que las condiciones nacionales se han deteriorado tanto que usted se ve obligado(a) a luchar por corregir los problemas. En general hay problemas económicos, políticos y sociales para corregir. Nombre(n) unas cosas por las cuales usted(es) se ve(n) obligado(a)(s) a luchar.

Ejemplos: Me veo obligado a luchar por *el aire limpio.*
              Me veo obligada a luchar por *más justicia política.*

Oración: Me veo obligado(a) a luchar por _____

             _____

             _____

Ejercicios: ¿Por qué cosa se ve obligado(a) X a luchar?
                ¿Quién se ve obligado(a) a luchar por _____ ?
                X, ¿por qué cosa se ve obligado Y a luchar?
                Z, ¿qué dice X?
                Z, de estas cosas, ¿por qué cosas se ve obligado(a) a luchar usted?

Focus: *dar(se) cuenta de* (realize = mental activity)

Supongamos que usted va solo a una selva de Sudamérica para buscar a un amigo perdido que exploraba la selva. Usted se da cuenta de que existen muchos peligros en la selva. Nombre(n) algunos peligros de que se da(n) cuenta que existen.

Ejemplos: Me doy cuenta de que *hay mucha malaria.*
Me doy cuenta de que *las víboras venenosas atacan a la gente.*

Oración: Me doy cuenta de que _____

_____

_____

Ejercicios: ¿De qué se da cuenta *X*?
¿Quién se da cuenta de _____?
X, de estas cosas, ¿de qué nos damos cuenta nosotros?
Z, de estas cosas, ¿de qué se da cuenta usted?
Y, X se da cuenta de que _____. ¿Cierto o falso?

Focus: *oponerse a*

Es verdad que favorecemos lo bueno y nos oponemos a lo malo. Nombre(n) usted(es) las cosas malas a que se opone(n) en la escuela.

Ejemplos: En la escuela me opongo a *tantas restricciones.*

En la escuela me opongo a *que la hora del almuerzo sea tan breve.*

Oración: En la escuela me opongo a _____

_____

_____

_____

Ejercicios: ¿A qué se opone *X* en la escuela?

¿Quién se opone a _____ ?

X, ¿qué dice *Y*?

Z, de estas cosas, ¿a qué se opone usted?

Y, X se opone a _____. ¿Cierto o falso?

Y ¿se opone usted a _____ o a _____ ?

Focus: *soñar con* + noun, *soñar que* (or *con que*) + conjugated verb

---

Vamos a suponer que usted sueña con muchas cosas. A veces sus sueños son agradables, pero mayormente sus sueños le producen problemas psicológicos. Nombre(n) usted(es) unas cosas con que sueña(n) usted(es).

Ejemplos: Sueño que *los cocodrilos me atacan en un río.*

Sueño con *el coco.*

Oración: Sueño con (que) _____

_____

_____

_____

Ejercicios: ¿Con qué sueña *X*? (¿Qué sueña *X*?)

¿Quién sueña con que _____ ?

X, ¿qué dice *Y*?

X, de estas cosas, ¿con qué soñamos nosotros?

Z, de estas cosas, ¿con qué sueña usted?

Y, X sueña _____. ¿Cierto o falso?

Focus: present tense of *reir(se) de* (laugh at)

Usted es un campeón de tenis. Está en un campeonato. Puesto que le falta sólo un punto para ganarlo, hay silencio. Al momento de servir la pelota, de repente aproximadamente mil espectadores empiezan a reír. Nombre(n) usted(es) las cosas de qué se ríen los espectadores.

Ejemplos: Los espectadores se ríen de *un hombre que corre sin ropa.*
              Los espectadores se ríen de *un perro en la cancha.*

Oración: Los espectadores se ríen de _____

_____

_____

_____

Ejercicios: ¿Quién dice que los espectadores se ríen de _____?
            X, ¿qué dice Y?
            Z, de estas cosas, en su opinión, ¿de qué se ríen los espectadores?
            X, de estas cosas, ¿de qué nos reímos nosotros?

Focus: *decidirse a* + infinitive verb phrase

Supongamos que usted está en una fiesta. Hace un rato que usted conoció a un muchacho que es muy egocéntrico. El muchacho sólo habla de sí mismo y usted se aburre mucho. En vez de sólo escucharlo, usted se decide a hacer algo. Nombre(n) usted(es) las cosas que se decide(n) a hacer.

Ejemplos: Me decido a *no hacerle caso.*
              Me decido a *salir de la fiesta.*

Oración: Me decido a _____

_____

_____

_____

Ejercicios: ¿Quién se decide a _____?
            X, ¿qué dice Y?
            Z, de estas cosas, ¿qué se decide a hacer usted?
            Y, X se decide a _____. ¿Cierto o falso?

Focus: *estar consciente de*

Vamos a suponer que usted no está aquí ahora. Póngase muy tranquilo(a). Deje usted que la mente vague y lo(a) lleve hacia las cosas que realmente le interesan. Ahora está consciente de otras cosas. Nombre(n) usted(es) unas cosas de que está(n) consciente(s).

Ejemplos: Estoy consciente del *calor.*
          Estoy consciente de *que me gusta el chocolate.*

Oración: Estoy consciente de _____

_____

_____

_____

Ejercicios: ¿Quién está consciente de _____ ?
          X, ¿de qué está consciente *Y?*
          Y, ¿qué dice *X?*
          Z, de estas cosas, ¿de qué está consciente usted?
          Y, X está consciente de _____. ¿Cierto o falso?

Focus: *acabar de* + infinitive verb phrase

Supongamos que se ha iniciado un sabotage en nuestro país. Usted es un periodista que por teléfono trata de describir varios de los sucesos que acaban de pasar en conección con el sabotage. Nombre(n) las cosas que acaban de pasar.

Ejemplos: *El hospital* acaba de *explotar.*
          El presidente acaba de *ser fusilado.*

Oración: _____ acaba de _____

_____   _____

_____   _____

_____   _____

Ejercicios: *X,* ¿qué le acaba de pasar al _____ ?
          Y, ¿qué dice *X?*
          Z, de estos sucesos, ¿qué dice usted que acaba de pasar?
          Y, X dice que _____ acaba de _____. ¿Cierto o falso?

Focus: three verbs

Todos tenemos razones por las cuales queremos continuar viviendo. Con los ojos cerrados, tome usted un minuto de silencio y piense en algunas razones por las cuales quiere continuar viviendo. Nombre(n) las razones.

Ejemplos: Quiero continuar viviendo para *hacer más amistades.*
            Quiero continuar viviendo para *ver más del mundo.*

Oración: Quiero continuar viviendo para _____

_____

_____

_____

Ejercicios: ¿Quién quiere continuar viviendo para _____ ?
             X, ¿qué dice *Y*?
             X, de estas razones, ¿para qué queremos continuar viviendo?
             Z, de estas razones, ¿para qué quiere Ud. continuar viviendo?
             Y, X quiere continuar viviendo para _____. ¿Cierto o falso?

Focus: three verbs

Todos queremos seguir haciendo cosas agradables. Piense usted en algunas cosas agradables que hace o que ha hecho que son divertidas y que usted quiere seguir haciendo para que su vida sea divertida y feliz. Nombre(n) estas cosas que quiere(n) seguir haciendo.

Ejemplos: Quiero seguir *bailando.*
            Quiero seguir *haciendo amistades.*

Oración: Quiero seguir _____

_____

_____

_____

Ejercicios: ¿Quién quiere seguir _____ ?
             X, ¿qué quiere seguir haciendo *Y*?
             Y, ¿qué dice *X*?
             Z, de estas cosas, ¿qué quiere usted seguir haciendo?
             Y, X quiere seguir _____. ¿Cierto o falso?

Focus: preposition *de* + infinitive verb phrase

Supongamos que usted está casado(a). Su marido o mujer le trata bastante mal, porque no es capaz de mostrar cariño. Su marido o mujer es una persona incomprensiva. Usted cree que debe tomar unas decisiones sobre la relación. Nombre(n) usted(es) unas decisiones que toma(n).

Ejemplos: Tomo la decisión de *buscar ayuda profesional*.
Tomo la decisión de *no hacerle caso*.

Oración: Tomo la decisión de _____

_____

_____

Ejercicios: ¿Qué decisión toma *X*?
¿Quién toma la decisión de _____ ?
X, ¿qué decisión toma *Y*?
Z, ¿qué dice *X*?
Z, de estas cosas, ¿qué decisión toma usted?

Focus: preposition + two infinitive verbs

Supongamos que usted ha inventado una máquina de tiempo en la cual usted puede volver a cualquier época del pasado. Diga(n) hasta qué épocas del pasado vuelve(n) usted(es) y qué puede(n) hacer en aquellas épocas.

Ejemplos: Vuelvo hasta *la Edad Media* para poder *vivir en un castillo*.
Vuelvo hasta *los griegos antiguos* para poder *hablar con Platón*.

Oración: Vuelvo hasta _____ para poder _____

_____   _____

_____   _____

_____   _____

Ejercicios: ¿Hasta qué época vuelve *X*?
¿Para qué vuelve *Y* hasta _____ ?
¿Quién dice que vuelve hasta _____ para _____ ?
Z, ¿qué dice *X*?
Z, de estas épocas, ¿hasta qué epoca vuelve usted?

Focus: *hace* + **time phrase** + *que* + **verb phrase**

Supongamos que con tantos estudios usted se está volviendo loco poco a poco, y ahora está alucinando. Usted ve cosas increíbles. Diga(n) qué cosas ve(n) y cuánto tiempo hace que usted(es) ve(n) estas cosas.

Ejemplos: Hace *un día* que veo *un elefante volador.*
Hace *una hora* que veo *un hongo que habla español.*

Oración: Hace _____ que veo _____

_____   _____

_____   _____

_____   _____

Ejercicios: ¿Hace cuánto tiempo que *X* ve _____?
¿Quién ve _____ hace _____?
Z, de estas cosas, ¿qué ve usted y hace cuánto tiempo?
Y, hace _____ que *X* ve _____. ¿Cierto o falso?

Focus: *hace* + **time phrase** + **present tense of verb in** *que*-**clause**

De vez en cuando vemos en otros algunas cualidades buenas y deseamos tener esas cualidades. Nombre(n) usted(es) unas cualidades que desea(n) tener usted(es) y diga(n) hace cuánto tiempo que desea(n) ser así.

Ejemplos: Hace *varios años* que deseo ser más *sincero.*
Hace *más de cinco años* que deseo ser más *generoso.*

Oración: Hace _____ que deseo ser más _____

_____   _____

_____   _____

_____   _____

Ejercicios: ¿Quién desea ser más _____?
X, ¿qué dice *Y*?
Z, de estas cosas, ¿cómo desea ser usted?
Z, ¿hace cuánto tiempo que desea ser más _____?
Y, hace _____ que *X* desea ser más _____. ¿Cierto o falso?

Focus: imperfect tense with *hace* + time phrase

Cada uno de nosotros ha tenido la fantasía de hacer algo extraordinario. Nombre(n) usted(es) unas cosas fantásticas que quería(n) hacer y cuánto tiempo hace que las quería(n) hacer.

Ejemplos: Quería *ser actor cinematográfico* hace *diez años.*
Quería *ser miembro del congreso* hace *dos semanas.*

Oración: Quería_____ hace _____

_____ _____

_____ _____

_____ _____

Ejercicios: ¿Quién quería _____?
X, ¿qué dice Y?
Z, de estas fantasías, ¿qué quería hacer usted?
Y, X quería _____ hace _____. ¿Cierto o falso?

Focus: *desde hace* + time phrase

Existen personas a quienes respetamos y que ejercen una influencia sobre nuestras vidas. Nombre(n) a unas personas que influyen en su vida y diga(n) cuánto tiempo hace que ellas le influyen.

Ejemplos: *Mi padre* me influye desde hace *varios años.*
Los Kennedy me influyen desde hace *más de cinco años.*

Oración: _____ me influye(n) desde hace _____

_____ _____

_____ _____

_____ _____

Ejercicios: ¿Hace cuánto tiempo que _____ le influye a X?
Z, de estas personas, ¿quién le influye a usted y desde hace cuánto tiempo?
Y, _____ le influye a X desde hace _____. ¿Cierto o falso?

Focus: two verbs + intensifying element (*más* or *menos*)

Supongamos que usted ha llegado a una bifurcación en el camino de la vida. Si va a la derecha, usted continuará sin cambios en su vida. Si va a la izquierda, usted puede cambiar su estilo de vida. Usted decide ir a la izquierda, para cambiar. Nombre(n) usted(es) algunas maneras de que quiere(n) ser diferente(s).

Ejemplos: Quiero ser más *flexible*.
Quiero ser menos *serio*.

Oración: Quiero ser (más) _____

(menos) _____

_____

_____

Ejercicios: ¿Quién quiere ser más(menos) _____?
X, ¿cómo quiere ser Y?
Y, ¿qué dice X?
Z, de estas cosas, ¿cómo quiere ser usted?

Focus: comparison of unequal amounts, *más . . . que . . .*

Todos tenemos características de personalidad. Pero digamos que su mejor amigo(a) es diferente de usted, según sus características de personalidad. Es decir, él o ella es más paciente que usted o es menos tolerante que usted. Diga(n) cómo su mejor amigo(a) es diferente, usando *más* o *menos*.

Ejemplos: Mi mejor amigo es más *ambicioso* que yo.
Mi mejor amiga es menos *generosa* que yo.

Oración: Mi mejor amigo(a) es más _____ que yo.

(menos) _____

_____

_____

Ejercicios: ¿Quién dice que su amigo(a) es más _____ que él/ella?
X, ¿qué dice Y?
Y, ¿cómo es diferente el amigo de X?
Z, de estas cosas, ¿cómo es su amigo(a) de usted?
Y, el amigo de X es más/menos _____ que él/ella. ¿Cierto o falso?

Focus: comparison of equal amounts, *tan . . . como . . .*

Supongamos que usted es muy fuerte. Algunas personas dicen que usted es tan fuerte como un buey. Usted también tiene una opinión. ¿Qué dice usted? Diga(n) usted(es) que es(son) tan fuerte(s) como otras cosas y nombre(n) esas cosas.

Ejemplos: Soy tan fuerte como *un terremoto.*
               Soy tan fuerte como *un tractor.*

Oración: Soy tan fuerte como _____

           _____

           _____

           _____

Ejercicios: ¿Qué fuerte es *X*?
               ¿Quién es tan fuerte como _____?
               Z, ¿qué dice *X*?
               Z, de estas cosas, ¿qué fuerte es usted?
               Y, *X* dice que es tan fuerte como _____. ¿Cierto o falso?

Focus: superlative + *¿ cuál es?*

En alguna ocasión todos nos hemos preguntado cuál es el más importante de los libros, de las personas, de los países, de las profesiones, o de las cualidades de personalidad, etc. Piense(n) en algunas áreas sobre las cuales usted(es) quiere(n) preguntar, en términos de importancia, y pregunte(n) cuál es lo más importante de esa área.

Ejemplos: ¿Cuál es el *deporte* más importante?
               ¿Cuál es la *filosofía* más importante?

Oracion: ¿Cual es el/la _____ más importante?

           _____

           _____

           _____

Ejercicios: ¿Qué pregunta *X*?
               ¿Quién pregunta cuál es el/la _____ más importante?
               Z, ¿qué dice *X*?
               Z, de estas preguntas, ¿qué pregunta hace usted?
               Y, *X* pregunta cúal es el/la _____ más importante. ¿Cierto o falso?

Focus : two verbs and the *a quien*-clause used as an adjective

Supongamos que usted es el dueño de un negocio que usted quiere engrandecer. Usted desea tener un socio. El socio, a quien usted desea tener, debe poseer ciertas cualidades. Nombre(n) usted(es) unas cualidades que el socio debe poseer.

Ejemplos: El socio a quien deseo tener debe poseer *mucha honestidad.*
               El socio a quien deseo tener debe poseer *la paciencia.*

Oración: El socio a quien deseo tener debe poseer _____

                                   _____

                                   _____

                                   _____

Ejercicios: ¿Quién dice que el socio a quien desea tener debe poseer _____
               _____ ?
               X, ¿qué debe poseer el socio a quien *Y* desea tener?
               Z, ¿qué dice *X?*
               Z, de estas cosas, ¿qué debe poseer el socio a quien usted desea tener?
               Y, el socio a quien *X* desea tener debe poseer _____. ¿Cierto o falso?

Focus : adjective clause with *a quien*

Usted está en una situación muy crítica. Hay fuego en una casa. Unas personas están atrapadas en la casa. Ellas son las personas a quienes usted quiere salvar. Diga(n) a quiénes salvará(n).

Ejemplos: La persona a quien salvaré es *un niño.*
               La persona a quien salvaré es *un médico.*

Oración: La persona a quien salvaré es _____

                                     _____

                                     _____

Ejercicios: ¿A quién salvará *X?*
               X, ¿qué dice *Y?*
               Z, ¿quién es la persona a quien salvará *Y?*
               Z, de entre estas personas, ¿a quién salvará usted?
               Y, la persona a quien *X* salvará es _____. ¿Cierto o falso?

Focus: adjective clause with *con quienes*

Supongamos que usted es un rico industrial. Sus amigos y conocidos tienen una variedad de experiencias: políticas, religiosas, económicas y educativas. Usted está tratando de decidir a cuáles de sus conocidos prefiere usted y qué es lo bueno de ellos. Nombre(n) usted(es) algunas cualidades de esas personas con quienes usted(es) anda(n).

Ejemplos: Las personas con quienes ando son *conservadores en política.*
             Las personas con quienes ando son *puros ricos.*

Oración: Las personas con quienes ando son _____

_____

_____

_____

Ejercicios: ¿Cómo son las personas con quienes *X* anda?
              ¿Quién dice que las personas con quienes anda son _____ ?
              X, ¿qué dice *Y*?
              Z, de estas cosas, ¿cómo son las personas con quienes usted anda?

Focus: parts of body and general phrases for injuries

Supongamos que usted sufrió un accidente en un coche. Usted se lesionó pero puede ir al hospital para primeros auxilios. El médico le pregunta lo que tiene. Usted tiene lesionadas unas partes del cuerpo. Nombre(n) las partes del cuerpo y diga(n) qué tienen.

Ejemplos: *La cabeza* tiene *una lesión.*
             El brazo tiene *una rotura.*

Oración: El/la _____ tiene _____

_____   _____

_____   _____

_____   _____

Ejercicios: ¿Qué tiene el/la _____ de *X*?
              ¿Quién dice que el/la _____ tiene _____ ?
              Z, ¿qué dice *X*?
              Z, de estas cosas, ¿cuál está lesionada y qué tiene?
              Y, el/la _____ de *X* tiene _____. ¿Cierto o falso?

Focus: **expressing years**

Supongamos que por magia se le ha concedido a usted un deseo. Usted puede vivir en el pasado y en otro lugar por un año. Nombre(n) usted(es) los años diferentes en los cuales le gustaría haber vivido y nombre(n) usted(es) el lugar.

Ejemplos: Me gustaría haber vivido en *1920* en *París*.
Me gustaría haber vivido en *1610* en *Inglaterra*.

Oración: Me gustaría haber vivido en _____ en _____

_____   _____

_____   _____

_____   _____

Ejercicios: ¿A *Y* en qué año le gustaría haber vivido?
¿A quién le gustaría haber vivido en _____ en _____?
X, ¿qué dice *Y*?
Z, de estos años, ¿en qué año le gustaría haber vivido a usted?
Y, a *X* le gustaría haber vivido en _____ en _____. ¿Cierto o falso?

Focus: *si*-clause

Supongamos que usted es un detective que busca a un hombre loco que ha cometido un asesinato recientemente. Usted está en el sector industrial de la ciudad donde hay muchos almacenes, vías ferroviarias, camiones, desembarcaderos, y oficinas. Usted se pregunta dónde se esconde el asesino. Nombre(n) usted(es) unos lugares sobre los cuales se pregunta(n) dónde puede estar el asesino.

Ejemplos: Me pregunto si *está detás de algún camión.*
Me pregunto si *corre detrás de algún edificio.*

Oración: Me pregunto si _____

_____

_____

_____

Ejercicios: ¿Qué se pregunta *X*?
¿Quién se pregunta si _____?
X, ¿qué dice *Y*?
Z, de estas cosas, ¿qué se pregunta usted?

OPEN-ENDED SENTENCE MODEL

This model is designed to set an initial mood in class or to effect a change of pace. The open-ended sentence is a device similar to the open sentence found in the situation model and is used in the same way. The difference between the two is that in the situation model the open sentence is based on the information given in the situation and in the open-ended sentence model the lead-in phrase provides the information that will form the beginning of your response. In other words, in this model the lead-in phrase is, in effect, a mini-situation.

Many open-ended sentences are provided in this model to facilitate the practice of a variety of language structures introduced to you in the previous section. What you provide as fill-in material will reflect your own degree of ability or proficiency in Spanish. This device, like the open-sentence of the situation model, is used to harness your creative thoughts (your fantasies, imagination, values, feelings, personal experiences, personal opinions, interests, desires, or aspirations) for use as content to practice the language structure stated in each *Focus*.

IMPLEMENTATION

Like the *Situation*, this model is used both as an in-class verbal activity or as an outside writing activity. As a writing activity, your teacher will assign some or all of the open-ended sentences found on any given page. You will then create your own fill-in ideas. If your teacher has assigned a whole page, he or she might pair you off on the following day to discuss your ideas with each other. Although in this model you are provided only two blank lines per item for writing practice outside class, as an in-class activity your teacher may employ five blank lines on the chalkboard. These five lines indicate that each of five students will volunteer an idea and the teacher will write them in the blanks of the open-ended sentence. In this way, you will be creating in class your own mini-lesson which the teacher will use to guide you in practicing the language. That is, after five students volunteer input, the teacher will begin the *Ejercicio* practice by asking questions and eliciting oral responses from you. By using the types of basic questions found in the *Ejercicio*, you and your teacher will carry on a conversation to strengthen your oral fluency. Sometimes during the *Ejercicio* activity, your teacher will have the whole class repeat a response in chorus to give you more total contact with the spoken language.

Before soliciting your responses, your teacher will usually provide a couple of examples. The examples will reflect creative themes—imagination, feelings, values, opinion, interests—and may incorporate humorous or serious language. Incidentally, an easy way to generate humor is by distorting the ordinary view of reality. For example, in the sentence, "En mis sueños siempre veo _____," we may add "algunos perros que hablan español" or "a Drácula en un bikini cómico." These examples, humorous or serious, are essential to the total effectiveness of this model.

As an in-class verbal activity, from beginning to end, the open-ended sentence may take from six to ten minutes. From the moment your teacher writes the open-ended sentence with five blank lines on the chalkboard to the point when he or she has asked you several questions from the *Ejercicio*, you will have practiced the specific language structure many times.

This constant practice is the essence of becoming fluent in the language. The practice allows your passive vocabulary to become active. Your active vocabulary, in turn, will guide you into the creation of other novel ideas in greater depth and with more accuracy. Your daily responses to the open-ended sentences is essential. Practice at this stage stimulates development in expressing your thoughts. Such development is crucial for later use in the communication of your ideas for the practice models in section two of this book.

Focus: some forms of *ser*, present tense

1. Con respecto al amor, mis amigos y yo somos _____

   _____

2. La mejor cualidad de mi mejor amigo es _____

   _____

3. Para mí dos cosas fáciles de hacer son _____

   _____

4. Para mí lo más esencial en la vida es _____

   _____

5. Para mí lo más importante que debo hacer esta semana es _____

   _____

6. En cuanto a la discreción soy una persona que _____

   _____

7. Creo que las películas contemporáneas son _____

   _____

8. Tengo la opinión de que los generales militares son _____

   _____

Ejercicios: ¿Cuál es la mejor cualidad del amigo de *X*?
¿Quién dice que la mejor cualidad de su amigo es _____ ?
X, ¿qué dice *Y*?
Z, de estas cosas, ¿cuál es la mejor cualidad de su amigo?
Y, la mejor cualidad del amigo de *X* es _____. ¿Cierto o falso?

Focus: *poder*

1. La tensión mental puede _____

   _____

2. Con magia podemos _____

   _____

3. Para mejorar mi vida puedo _____

_____

4. Cuando enamorados, mis amigos pueden _____

_____

5. En un mundo de fantasía mis amigos y yo podemos _____

_____

6. La sociedad debe criticarse y mejorarse para poder _____

_____

7. Si tengo muchas cosas materiales, puedo _____

_____

8. Después de tener un trabajo, voy a poder _____

_____

Ejercicios: Con magia, ¿qué puede hacer *X*?
¿Quién puede _____ ?
X, de estas cosas, ¿qué podemos hacer con magia?
Z, de estas cosas, ¿qué puede hacer usted?
Y, con magia, *X* puede _____. ¿Cierto o falso?

_____

Focus: present tense of some verbs

_____

1. A veces el sufrimiento me hace recordar _____

_____

2. A veces el enojo aparece como expresión de _____

_____

3. Puesto que tengo una mente con una capacidad infinita para crear ideas, yo

_____

_____

4. Puedo subsistir por medio de _____

_____

5. Lo que más me preocupa _____

_____

6. Me fascina _____

_____

7. Creo que mis fracasos cada día ocurren en forma de _____

_____

8. Creo que mis éxitos ocurren en forma de _____

_____

Ejercicios: ¿Qué le fascina a *X*?
¿A quién le fascina _____?
X, ¿qué dice *Y*?
X, de estas cosas, ¿qué nos fascina?
Z, de estas cosas, ¿qué le fascina a usted?
Y, a *X* le fascina _____. ¿Cierto o falso?

Focus: present tense of some verbs

1. La parte bestial de mi conducta toma forma de _____

_____

2. Yo, siendo una máquina y siendo un producto del genio del hombre,

_____

_____

3. Siento vergüenza cuando _____

_____

4. Veo algún escarnio en _____

_____

5. A veces tengo un relámpago nervioso en _____

_____

6. Los elementos monstruosos de mis sueños tienen forma de

_____

_____

7. La imprevisión que veo más en mi propia conducta toma forma en

_____

_____

8. Una persona sofisticada me hace pensar en _____

_____

Ejercicios: ¿Cuándo siente vergüenza *X*?

¿Quién siente vergüenza cuando _____?

X, ¿qué dice *Y*?

Z, de estas cosas, ¿cuándo siente vergüenza usted?

Y, *X* siente vergüenza cuando _____. ¿Cierto o falso?

Y, ¿siente usted vergüenza cuando _____ o _____?

Focus: present tense of some verbs

1. Me encuentro en un mundo de fantasía y pienso que _____

_____

2. Tengo ocho mil dólares y pido _____

_____

3. Poseo un deseo mágico y con él quiero _____

_____

4. Vivo en un mundo absurdo y prefiero _____

_____

5. Me dan quince mil dólares y con ellos ordeno _____

_____

6. Tengo una varita mágica y con ella acabo de _____

_____

7. Para sacar gran provecho de esta vida, yo cuento con _____

_____

Ejercicios: Con los ocho mil dólares, ¿qué pide *X*?

¿Quién pide _____?

X, ¿qué dice *Y*?

X, de estas cosas, con el dinero, ¿qué pedimos nosotros?

Z, de estas cosas, ¿qué pide usted?

Y, con los ocho mil dólares, *X* pide _____. ¿Cierto o falso?

Focus: present tense of some verbs

1. La parte bestial de mi ser sale en forma de _____

   _____

2. Mi capacidad mental me ayuda cuando _____

   _____

3. Mi mejor amigo me considera _____

   _____

4. En mis sueños veo _____

   _____

5. En un cementerio pienso en _____

   _____

6. Mis amigos íntimos y yo hablamos de _____

   _____

7. Con músculos muy fuertes, puedo _____

   _____

8. No tomo en serio _____

   _____

9. Con un elefante domesticado, me imagino que puedo _____

   _____

Ejercicios: ¿Qué ve *X* en sus sueños?
 ¿Quién ve _____?
 X, ¿qué dice *Y?*
 X, de estas cosas, ¿qué vemos en nuestros sueños?
 Z, de estas cosas, ¿qué ve usted?
 Y, en sus sueños, *X* ve _____. ¿Cierto o falso?

Focus: present tense of some verbs

1. Mis intereses principales tienen que ver con _____

   _____

2. Justifico mi conducta diaria a base de _____

_____

3. En mi vida sufro a causa de _____

_____

4. En mi vida me veo feliz debido a _____

_____

5. Gano la vida por medio de _____

_____

6. Espero que mi buena fortuna venga en forma de _____

_____

7. Mi progreso diario se basa en _____

_____

8. Muchas veces me olvido de _____

_____

Ejercicios: ¿En qué se basa el progreso diario de *X*?
¿Quién dice que su progreso diario se basa en _____?
X, ¿qué dice *Y*?
X, de estas cosas, ¿en qué se basa nuestro progreso diario?
Z, de estas cosas, ¿en qué se basa su progreso diario?
Y, el progreso diario de *X* se basa en _____. ¿Cierto o falso?

Focus: present tense of some verbs

1. Paso mucho tiempo en un mundo absurdo y veo que _____

_____

2. Gano mucho dinero y compro _____

_____

3. Descubro que tengo un poder mágico y con él puedo _____

_____

4. De noche cuando veo la luna pienso en _____

_____

5. La luna plena me hace pensar en _____

_____

6. Un esqueleto humano me hace pensar en _____

_____

7. A veces respondo a las preguntas pero _____

_____

Ejercicios: ¿Qué compra *X* con su dinero?
¿Con el dinero que gana, ¿quién compra _____ ?
X, ¿qué dice *Y*?
X, de estas cosas, ¿qué compramos nosotros?
Z, de estas cosas, ¿qué compra usted?
Y, con el dinero que gana, *X* compra _____. ¿Cierto o falso?
Y, con su dinero, ¿compra usted _____ o _____ ?

Focus: verb phrase to be added to the given subject

1. Una novia celosa _____

_____

2. Un novio egoísta _____

_____

3. Un trabajo aburrido _____

_____

4. Mi equilibrio mental _____

_____

5. Mi mejor amigo(a) _____

_____

6. Una mujer pasiva _____

_____

7. Un hombre pasivo _____

_____

8. La depresión mental _____

_____

9. Un novio cariñoso _____

_____

Ejercicios: ¿Qué dice *X* del hombre pasivo?
¿Quién dice que el hombre pasivo _____?
X, ¿qué dice *Y*?
Z, de estas cosas, ¿qué piensa usted del hombre pasivo?
Y, *X* dice que el hombre pasivo _____. ¿Cierto o falso?
Y, ¿piensa usted que el hombre paviso _____ o _____?

Focus: verb phrase to be added to the given subject

1. En una pelea mis amigos _____

_____

2. Si alguien me trata con desprecio, yo _____

_____

3. Cuando me menosprecian, yo _____

_____

4. Al cometer un desliz contra la ley, mi padre _____

_____

5. Estando solo(a), por lo general, yo _____

_____

6. Dándome cuenta de mis defectos, yo _____

_____

7. Estando desnudo, el monstruo de Frankenstein _____

_____

8. En mis sueños, yo _____

_____

9. En la presencia de kriptonita, Superhombre _____

_____

Ejercicios: En sus sueños, ¿qué hace *X*?
¿Quién dice que en sus sueños, él/ella _____?
X, ¿qué dice *Y*?
X, de estas cosas, ¿qué hacemos en nuestros sueños?
Z, de estas cosas, ¿qué hace usted?
Y, en sus sueños, *X* _____. ¿Cierto o falso?

Focus: verb phrase to be added to the given subject

1. Las ideas de mi mejor amigo(a) _____

_____

2. La hostilidad reflejada en los ojos _____

_____

3. La cuestión moral de suicidio _____

_____

4. La frialdad emocional de un padre _____

_____

5. En una sociedad fragmentada, la amistad _____

_____

6. Con respecto a la honestidad, los jóvenes _____

_____

7. Respecto de la generosidad, yo _____

_____

8. Lo que busco en la vida _____

_____

9. Un policía ambicioso _____

_____

Ejercicios: ¿Qué busca *X* en la vida?
¿Quién busca _____?

X, ¿qué dice Y?
X, de estas cosas, ¿qué buscamos en la vida?
Z, de estas cosas, ¿qué busca usted en la vida?
Y, en la vida X busca _____. ¿Cierto o falso?

Focus: verb phrase to be added to the given subject

---

1. Un cobarde _____

_____

2. Una mujer sumisa _____

_____

3. Un hombre indiferente _____

_____

4. Una mujer intranquila _____

_____

5. Un hombre enfadado _____

_____

6. Cuando me dicen mentiras, yo _____

_____

7. Cuando me juran palabrotas, yo _____

_____

8. Si alguien me provoca con riñas, yo _____

_____

9. Cuando me incitan con disputas, yo _____

_____

Ejercicios: ¿Qué dice X de una mujer intranquila?
¿Quién dice que una mujer intranquila _____?
X, ¿qué dice Y?
Z, de estas cosas, ¿qué dice usted de una mujer intranquila?
Y, X dice que una mujer intranquila _____. ¿Cierto o falso?
Y, ¿cree usted que una mujer intranquila _____ o _____?

Focus: *tratar de* + infinitive verb phrase and *tratarse de* + noun phrase or verb phrase

1. Mi sueño más común se trata de _____

   _____

2. Para mejorar mi vida, trataré de _____

   _____

3. El diablo trata de _____

   _____

4. En cuanto a mis obligaciones, trato de _____

   _____

5. En mi opinión, una relación matrimonial se trata de _____

   _____

6. Una actitud nefasta que existe ahora en la comunidad se trata de

   _____

   _____

7. Creo que mi bienestar se trata de _____

   _____

8. Para organizar mi horario, voy a tratar de _____

   _____

Ejercicios: Según X, ¿qué trata de hacer el diablo?
   ¿Quién dice que el diablo trata de _____ ?
   X, ¿qué dice Y?
   Z, de estas cosas, ¿qué cree usted que el diablo trata de hacer?
   Y, según X, el diablo trata de _____. ¿Cierto o falso?

Focus: *ir a* + infinitive verb phrase

1. Tengo doce mil dólares y voy a _____

   _____

2. Para ser menos tonto(a), voy a _____

_____

3. Soy un fantasma feliz y voy a _____

_____

4. Para el año 2001, vamos a _____

_____

5. En el futuro, creo que mis amigos van a _____

_____

6. El día de su graduación, mi amigo va a _____

_____

7. Antes de este año, yo iba a _____

_____

8. Para mejorar mi vida, decidí que iba a _____

_____

9. Esta semana pasada, yo fui a _____

_____

Ejercicios: Antes de este año, ¿qué iba a hacer *X*?
¿Quién iba a _____ ?
X, ¿qué dice *Y*?
X, de estas cosas, ¿qué íbamos a hacer?
Z, de estas cosas, ¿qué iba a hacer usted?
Y, *X* iba a _____ . ¿Cierto o falso?

Focus: *ir a* + place or location

1. Con un año de vacaciones, voy a _____

_____

2. Para el próximo verano, iré a _____

_____

3. El año pasado fui a _____

_____

4. Algún día me gustaría ir a Brasil a _____

_____

5. Después de graduarme, voy a _____

_____

6. Después de un día de mucho trabajo, mis padres van a

_____

_____

7. Para el próximo examen, voy a _____

_____

8. Perdido(a) y sin dinero, yo iría a _____

_____

9. Si fuera el Diablo, yo iría a _____

_____

Ejercicios: Si fuera el Diablo, ¿a dónde iría *X*?
¿Quién iría a _____ ?
X, ¿qué dice *Y*?
Z, de estas cosas, ¿a dónde iría usted?
Y, si fuera el Diablo, *X* iría a _____. ¿Cierto o falso?

Focus: future tense

1. Mañana, una cosa que comeré es _____

_____

2. Con suerte, después de graduarme, podré _____

_____

3. Este fin de semana iré a _____

_____

4. Dentro de unos días, leeré _____

_____

5. Una cosa que no veré nunca en mi vida es _____

_____

6. El fin del mundo será cuando _____

_____

7. Este fin de semana _____

_____

8. Lo que me traerá mala suerte será _____

_____

9. Lo que me dará buena suerte será _____

_____

Ejercicios: Según *X*, ¿qué pasará este fin de semana?
¿Quién dice que este fin de semana _____ ?
X, ¿qué dice *Y*?
Z, de estas cosas, ¿qué cree usted que pasará este fin de semana?
Y, según *X*, este fin de semana _____. ¿Cierto o falso?

Focus: personal "a" + human object

1. En momentos de inseguridad acudo a _____

_____

2. Cuando me veo confuso(a) acudo a _____

_____

3. En situaciones críticas me dirijo a _____

_____

4. En una crisis corro a _____

_____

5. Estando en aprieto, busco a _____

_____

6. Para el próximo presidente, apoyo a _____

_____

7. Para la próxima fiesta me gustaría llevar a _____

_____

8. De todos los grupos musicales, prefiero escuchar a _____

_____

9. Para "Jefe del Mundo" prefiero a _____

_____

Ejercicios: En una crisis, ¿a quién corre X?
¿Quién corre a _____?
X, ¿qué dice Y?
X, de estas personas, ¿a quién corremos nosotros?
Z, de estas personas, ¿a quién corre usted?
Y, X corre a _____. ¿Cierto o falso?

Focus: future of probability

1. La persona más rica del mundo (probablemente) tendrá _____

_____

2. La vida en una prisión (probablemente) será _____

_____

3. Tener una motocicleta será _____

_____

4. La persona que come sólo una vez al día (probalemente) sentirá

_____

_____

5. La persona deshonesta con una mala consciencia (probablemente) será

_____

_____

6. Cuando reincarnado(a) (probablemente) seré _____

_____

7. A los sesenta años, ¿estaré _____?

_____

8. A los cincuenta años, ¿seré _____?

_____

Ejercicios: Según *X*, ¿cómo será la vida en una prisión?
¿Quién dice que la vida en una prisión será _____ ?
X, ¿qué dice *Y*?
Z, de estas cosas, ¿cómo cree usted que será la vida en una prisión?
Y, según *X*, la vida en una prisión será _____. ¿Cierto o falso?

Focus: subordinate (dependent) *que*-clause

1. No acepto la idea de que _____

_____

2. No conformo al hecho de que _____

_____

3. Un aspecto acogedor de mi casa es que _____

_____

4. Si sueño que mis sueños sólo son sueños, supongo que _____

_____

5. Si las máquinas lo hacen todo por mí, calculo que _____

_____

6. Si el mundo mecanizado sigue aumentando, me imagino que

_____

_____

7. En mi opinión, un aspecto negativo de la vida rural es que

_____

_____

8. Si soy rico(a), no quiere decir automáticamente que _____

_____

9. Muchas veces damos por sentado que _____

_____

Ejercicios: ¿Qué no acepta *X*?
¿Quién no acepta la idea de que _____?
X, ¿qué dice *Y*?
Z, de estas cosas, ¿qué no acepta usted?
Y, *X* no acepta la idea de que _____. ¿Cierto o falso?

Focus: direct object to be added to the given verb

1. No puedo tolerar _____

_____

2. Para mí las leyes representan _____

_____

3. Para mí las costumbres de cortesía representan _____

_____

4. Para mí un complejo de inferioridad indica _____

_____

5. Creo que la prostitución produce _____

_____

6. Creo que el alcohol nos da _____

_____

7. La invasión de la vida privada representa _____

_____

8. Creo que los marcianos saben _____

_____

9. Ante el tribunal, el acusado explica que _____

_____

Ejercicios: Para *X*, ¿qué representan las leyes?
¿Quién dice que las leyes representan _____?

X, ¿qué dice *Y?*

Z, de estas cosas, ¿qué representan las leyes para usted?

Y, para *X* las leyes representan _____. ¿Cierto o falso?

Y, para usted, ¿representan las leyes _____ o _____?

Focus: direct object pronoun with corresponding antecedent

---

1. El amor familiar, lo necesitamos para _____

_____

2. La educación formal, la veo como _____

_____

3. Los deportes, los veo como _____

_____

4. La música, la considero como _____

_____

5. Mi actividad favorita, la hago _____

_____

6. El humor, lo acepto como _____

_____

7. El conformismo, lo veo como _____

_____

8. La amistad, la quiero nutrir para poder _____

_____

9. Mi mejor método de estudiar, lo hago por medio de _____

_____

Ejercicios: El humor, ¿cómo lo acepta *X?*

¿Quién lo acepta _____?

X, ¿qué dice *Y?*

Z, de estas cosas, ¿cómo lo acepta usted?

Y, el humor, *X* lo acepta _____. ¿Cierto o falso?

Focus: direct object pronoun with corresponding antecedent

1. La división tradicional de responsabilidades entre hombre y mujer, la considero

   _____

   _____

2. Lo más esencial de la vida, lo acepto en forma de _____

   _____

3. La curiosidad intelectual, la quiero desarrollar para _____

   _____

4. Los pequeños trastornos, los considero como _____

   _____

5. La sobrepoblación, la considero un problema que _____

   _____

6. La risa, la deseo en mi vida para poder _____

   _____

7. Mi mejor amigo(a), lo/la considero especial porque _____

   _____

Ejercicios: ¿En qué forma acepta *X* lo más esencial de la vida?
            ¿Quién lo acepta en forma de _____ ?
            X, ¿qué dice *Y*?
            X, de estas cosas, ¿cómo lo aceptamos nosotros?
            Z, de estas cosas, ¿en qué forma lo acepta usted?
            Y, lo más esencial, *X* lo acepta en forma de _____. ¿Cierto o
            falso?

Focus: auxiliary verb + *haber* (there is, are)

1. En el universo parece haber _____

   _____

2. En mi vida debe haber _____

   _____

3. En mis relaciones sociales tiene que haber _____

_____

4. Creo que algún día en este mundo va a haber _____

_____

5. Dentro de mi imaginación psicodélica puede haber _____

_____

6. En mis sueños sigue habiendo _____

_____

7. En mi porvenir podrá haber _____

_____

8. Entre dos amantes, debe de haber _____

_____

Ejercicios: ¿Qué debe haber en la vida de *X*?
¿Quién dice que en su vida debe haber _____?
X, qué dice *Y*?
Z, de estas cosas, ¿qué debe haber en su vida de usted?
Y, en la vida de *X* debe haber _____. ¿Cierto o falso?

_____

Focus: *gustar*

_____

1. Los sábados me gusta _____

_____

2. Una cosa que no me gusta hacer en absoluto es _____

_____

3. Hablando de elementos negativos de nuestra sociedad, no me gusta(n)

_____

_____

4. Considerando los elementos positivos de nuestra sociedad, me gusta(n)

_____

_____

5. De la medicina me gusta(n) _____

_____

6. Hablando de la pedagogía, me gusta(n) _____

_____

7. En cuanto al humor, me gusta(n) _____

_____

8. De la música clásica, me gusta(n) _____

_____

Ejercicios: Los sábados, ¿qué le gusta hacer a *X*?
               ¿A quién le gusta _____ ?
               X, ¿qué dice *Y*?
               Z, de estas cosas, ¿qué le gusta hacer los sábados?
               Y, a *X* le gusta _____. ¿Cierto o falso?
               Y, ¿a usted le gusta _____ o _____ ?

Focus: indirect object pronoun

1. Le tengo fe a _____

_____

2. Le tengo miedo a _____

_____

3. Le temo a la prisión porque _____

_____

4. Los sábados me gusta _____

_____

5. La intuición me dice que _____

_____

6. El contenido de mis sueños me indica que _____

_____

7. El caso de "Watergate" nos enseña que _____

_____

8. Como regalo, a mi amigo(a) le voy a dar _____

_____

Ejercicios: ¿Qué le dice la intuición a *X*?
¿Quién dice que la intuición le dice que _____ ?
X, ¿qué dice *Y*?
Z, de estas cosas, ¿qué le dice a usted la intuición?
Y, a *X* la intuición le dice que _____. ¿Cierto o falso?

Focus: reflexive pronoun

1. Me siento estupendo(a) cuando _____

_____

2. Me despierto _____

_____

3. Mi mejor amigo(a) se enfada cuando _____

_____

4. Mis padres se ponen irritados cuando _____

_____

5. Para ganar mucha fama, me atrevería a _____

_____

6. Recientemente me acordé de _____

_____

Ejercicios: ¿Cuándo se pone nervioso(a) *X*?
              ¿Quién se pone nervioso(a) cuando _____?
              X, ¿qué dice *Y*?
              X, de estas cosas, ¿cuándo nos ponemos nerviosos?
              Z, de estas cosas, ¿cuándo se pone nervioso(a) usted?
              Y, *X* se pone nervioso(a) cuando _____. ¿Cierto o falso?

Focus: reflexive pronoun

---

1. Me maldigo cuando _____

_____

2. Me doy puntapiés _____

_____

3. Me encuentro asombrado(a) cuando _____

_____

4. Me veo sobresaltado(a) _____

_____

5. Me encuentro pasmado(a) cuando _____

_____

6. Me veo atónito(a) cuando _____

_____

7. Me avergüenzo _____

_____

8. Me desilusiono cuando _____

_____

9. Mis padres se enojan mucho cuando _____

_____

Ejercicios: ¿Cuándo se maldice *X*?
¿Quién se maldice cuando _____?
X, ¿qué dice *Y*?
X, de estas cosas, ¿cuándo nos maldecimos?
Z, de estas cosas, ¿cuándo se maldice usted?
Y, *X* se maldice cuando _____. ¿Cierto o falso?

Focus: reflexive to mean "become" or "get"

---

1. Se me corazona cuando _____

_____

2. Se me valienta cuando _____

_____

3. Se me alienta cuando _____

_____

4. Se me estima cuando _____

_____

5. Se me valora cuando _____

_____

6. Se me entiende cuando _____

_____

7. Se me maltrata cuando _____

_____

8. Se me hace daño cuando _____

_____

9. Se me menosprecia cuando _____

_____

Ejercicios: ¿Cuándo se le estima a *X*?
¿A quién se le estima cuando _____?
X, ¿que dice *Y*?
X, de estas cosas, ¿cuándo se nos estima a nosotros?
Z, de estas cosas, ¿cuándo se le estima a usted?
Y, se le estima a *X* cuando _____. ¿Cierto o falso?

Focus: reflexive for passive or active voice

---

1. Creo que el amor se produce cuando _____

    _____

2. Una de mis inseguridades se basa en _____

    _____

3. En cuanto al Diablo, se dice que _____

    _____

4. Creo que se comete un desliz social más _____

    _____

5. En cuanto a la tensión mental, se sabe que _____

    _____

6. Con respecto a la crisis de energía, se espera que _____

    _____

7. Espero que algún día se invente _____

    _____

8. Creo que la actividad que se hace más es _____

    _____

Ejercicios: Según *X*, ¿cuando se produce el amor?
¿Quién cree que el amor se produce cuando _____?
X, ¿qué dice *Y*?
Z, de estas cosas, ¿cuándo cree usted que se produce el amor?
Y, según *X*, el amor se produce cuando _____. ¿Cierto o falso?

Focus: *se oye* + infinitive verb of verbal expression

1. En una reunión formal de mi familia se oye decir que _____

_____

2. Entre mis amigos en la cafetería, se oye hablar de _____

_____

3. En una conversación íntima entre dos amantes se oye mencionar que

_____

_____

4. En la comisaría se oye explicar que _____

_____

5. En un confesionario se oye preguntar si _____

_____

6. En una manifestación política se oye gritar que _____

_____

7. En un manicomio se oye decir que _____

_____

8. En una gallinera, se oye cloquear que _____

_____

Ejercicios: Según *X*, ¿qué se oye explicar en una comisaría?
¿Quién dice que en una comisaría se oye explicar que _____?
X, ¿qué dice *Y*?
Z, de estas cosas, ¿qué cree usted que se oye explicar?
Y, *X* dice que en una comisaría se oye explicar _____. ¿Cierto o falso?

Focus: preterite tense

1. La semana pasada fui a _____

_____

2. El otro día vi _____

_____

3. Anoche pensé que _____

_____

4. Ayer al mediodía estuve _____

_____

5. Anoche a las ocho yo _____

_____

6. Cuando fumé por primera vez, yo _____

_____

7. Una vez en un momento de enojo, yo _____

_____

8. Una vez en un sueño vi _____

(tomé, supe, pude, fui a) _____

9. En un sueño una vez comí _____

(quise, visité, tuve, fui) _____

Ejercicios: ¿Qué pensó *X* anoche?
               ¿Quién pensó que _____ ?
               X, ¿qué dijo *Y*?
               X, de estas cosas, ¿qué pensamos anoche?
               Z, de estas cosas, ¿qué pensó usted anoche?
               Y, *X* pensó que _____. ¿Cierto o falso?

Focus: preterite tense

1. Lo que me enfadó la semana pasada fue _____

_____

2. Un error tonto que cometí una vez fue _____

_____

3. En un momento de indiscreción lo que hizo el gorila fue que

_____

_____

4. En un momento de indiscreción lo que hizo mi mejor amigo(a) fue que

_____

_____

5. La última vez que fui al cine, yo _____

_____

6. Lo que   el ratón   le dijo   al león   fue que _____

      (la hormiga)   (a la pulga)   _____

7. En un cementerio una vez conocí a un fantasma y le di _____

_____

8. Una vez en un ensueño yo _____

_____

Ejercicios: ¿Qué hizo *X* la última vez que fue al cine?
               La última vez que fue al cine, ¿quién _____?
               X, ¿qué dijo *Y*?
               X, de estas cosas, ¿qué hicimos nosotros?
               Z, de estas cosas, ¿qué hizo usted la última vez . . . cine?
               Y, la última vez . . . cine, *X* _____. ¿Cierto o falso?

Focus : imperfect tense

1. Antes yo iba a _____ porque _____

_____   _____

2. De noche cuando veía la luna pensaba en _____

_____

3. En el pasado mis intereses principales tenían que ver con _____

_____

4. En el pasado durante las vacaciones mi familia _____

_____

5. De niño(a), cuando me enfermaba, mis padres siempre me

_____

_____

6. En tiempos antiguos los leones decían que los tigres _____

_____

7. Antes, yo decía que los(as) chico(as) _____

_____

8. Yo justificaba mi conducta diaria a base de _____

_____

Ejercicios: Antes, ¿qué decía *X* de los(as) chicos(as)?
          ¿Quién decía que los(as) chicos(as) _____?
          X, ¿qué dice *Y*?
          Z, de estas cosas, ¿qué decía usted?
          Y, *X* decía que los(as) chicos(as) _____. ¿Cierto o falso?

Focus: imperfect tense

1. Para mí la luna simbolizaba _____

_____

2. Mi progreso diario se basaba en _____

_____

3. Muchas veces me olvidaba de _____

_____

4. Mi éxito en la vida dependía de _____

_____

5. Me molestaba más el problema de _____

_____

6. Me daba cuenta de que mis amigos _____

_____ _____

7. Yo creía que lo importante de la vida _____

_____

8. Antes, mi opinión era que el humor _____

_____

9. En cuanto a las fiestas, me gustaba(n) _____

_____

Ejercicios: Muchas veces, ¿de qué se olvidaba *X*?
¿Quién se olvidaba de _____?
X, ¿qué dice *Y*?
X, de estas cosas, ¿de qué nos olvidábamos muchas veces?
Z, de estas cosas, ¿de qué se olvidaba usted?
Y, muchas veces *X* se olvidaba de _____. ¿Cierto o falso?

Focus: two past tenses—preterite and imperfect

1. Anoche me di cuenta de que _____

_____

2. El año pasado, supe que _____

_____

3. Ayer, me acordé de que _____

_____

4. Esta mañana vi que _____

_____

5. Acerca de la astrología, yo me di cuenta de que _____

_____

6. Anoche mientras pensaba en mis amores, _____

_____

7. Esta mañana cuando hablaba con mis amigos, _____

_____

8. Una vez cuando dormía, soñé con que _____

_____

Ejercicios: Ayer, ¿de qué se acordó *X*?
¿Quién se acordó de _____?
X, ¿qué dice *Y*?
X, de estas cosas, ¿de qué nos acordamos?
Z, de estas cosas, ¿de qué se acordó usted?
Y, *X* se acordó de _____. ¿Cierto o falso?

Focus: conditional tense

1. Siendo mago, el profesor podría _____

_____

2. Con respecto a la verdad, yo diría que _____

_____

3. Hablando de enfermedades, yo pondría más énfasis en _____

_____

4. Hablando de estupideces, inmediatamente yo pensaría en _____

_____

5. Hablando con un fantasma, hablaríamos de _____

_____

6. Volando en un avión particular, iría a Marruecos para _____

_____

7. Manejando un coche nuevo, yo podría _____

_____

8. Con mil dólares, mis padres me comprarían _____

_____

Ejercicios: ¿Qué diría *X* sobre la verdad?
¿Quién diría que _____?
X, ¿qué dice *Y*?
X, de estas cosas, ¿qué diríamos nosotros con respecto a la verdad?
Z, de estas cosas, ¿qué diría usted?
Y, *X* diría que _____. ¿Cierto o falso?

Focus: commands (Add the last quotation marks.)

---

1. Soy un sargento en el militar y lo que les digo a mis soldados es,

   " _____

   _____

2. Cuando les mando a mis amigos, muchas veces les digo, "_____

   _____

3. Soy el jefe de la policía y lo que les digo a los tenientes es,

   " _____

   _____

4. Mi novio(a) a veces me dice, "_____

   _____

5. Soy novio(a) y muchas veces le digo a mi novia(o), "_____

   _____

6. Cuando mi novio(a) me irrita, tengo ganas de gritar, "_____

   _____

7. Soy el jefe de los indios y a menudo les digo, "_____

   _____

Ejercicios: Siendo sargento, ¿qué les dice *X* a los soldados?
¿Quién les dice, "_____"?
X, de estas cosas, ¿qué les decimos a los soldados?
Z, de estas cosas, ¿qué les dice usted?
Y, siendo sargento, *X* les dice "_____". ¿Cierto o falso?

Focus: soft commands in question form
(Add the last quotation marks and question mark.)

1. Hablando con un artista, le digo, "¿Me explica _____

_____

2. Cuando en un hotel le digo al conserje, "¿Me da _____

_____

3. Cuando en el militar, le digo al sargento, "¿Me ayuda a _____

_____

4. Estando en la Casa Blanca, le digo al Presidente, "¿Me puede

_____

_____

5. Pensando en mis necesidades, le digo a Santa Claus, "¿Me trae

_____

_____

6. Con un auto descompuesto, le digo al mecánico, "¿Me arregla

_____

_____

7. Enfrentándome con el monstruo de Frankenstein, le digo, "¿Me dice

_____

_____

Ejercicios: ¿Qué le pregunta *X* al monstruo? (Le pregunta si . . .)
¿Quién le pregunta si _____ ?
X, ¿qué dice *Y*?
Z, de estas cosas, ¿qué le pregunta usted a Frankenstein?
Y, *X* le pregunta si _____. ¿Cierto o falso?
Y, ¿le pregunta usted si _____ o si _____ ?

Focus: *porque*-clause

1. Mis amigos asisten a la escuela porque _____

_____

2. Todos los días vengo a la escuela porque _____

_____

3. Cuando me siento contento(a) es porque _____

_____

4. Cuando me duele la cabeza es porque _____

_____

5. Cuando mis amigos vienen a verme es porque _____

_____

6. No me gusta que una persona hable todo el tiempo porque

_____

_____

7. A veces quiero hacerme el grande porque _____

_____

8. A veces me quejo de lo que hay alrededor de mí porque _____

_____

Ejercicios: Cuando le duele la cabeza a *X,* ¿por qué es?
¿Quién dice que le duele la cabeza porque _____?
X, ¿qué dice *Y*?
Z, de estas cosas, cuando le duele la cabeza a usted, ¿por qué es?
Y, a *X* le duele la cabeza porque _____. ¿Cierto o falso?

Focus: superlatives

1. Creo que el mejor alimento es _____

_____

2. En mi opinión la mejor marca de reloj es _____

_____

3. Creo que los dos coches más eficientes son _____

_____

4. Creo que el senador más eficiente es _____

_____

5. En mi opinión los dos jugadores de futbol más hábiles son

_____

_____

6. Calculo que el deporte más peligroso es _____

   (difícil) _____

7. Hablando de grupos de "Rock," los dos más populares son

_____

_____

8. La actividad recreativa más educativa es _____

   _____

9. Hablando de programas de aventuras por televisión, los dos más divertidos son

_____

_____

10. El sistema de gobierno más justo es el de _____

   _____

Ejercicios: Según *X,* ¿cuáles son los dos grupos de "Rock" más populares?
¿Quién dice que uno de los grupos de "Rock" más populares es
_____ ?
X, ¿qué dice *Y?*
Z, de estos grupos, según usted, ¿cuál es el más popular?
Y, X dice que los dos grupos de "Rock" más populares son _____.
¿Cierto o falso?

_____

Focus: . . . preposition + article + *que (cual)*

_____

1. Una razón por la que sigo mi carrera es para _____

   _____

2. La razón por la cual tengo algunos fracasos en la vida es que

_____

_____

3. Un factor por el cual no alcanzo todos mis objetivos es que

_____

_____

4. Un problema por el cual no cumplo todos mis deseos es que

_____

_____

5. Un refugio hacia el cual escapo durante los momentos difíciles es el de

_____

_____

6. Un recurso con el que puedo contar es el de _____

_____

7. Un ideal en el que sigo pensando es el de _____

_____

Ejercicios: ¿Cuál es un ideal en el que sigue pensando _X_?
¿Quién dice que un ideal en el que sigue pensando es el de _____ ?
_X_, ¿qué dice _Y_?
_X_, de estas cosas, ¿cuál es un ideal en el que seguimos pensando?
_Z_, de estas cosas, ¿cuál es un ideal en el que sigue Ud. pensando?
_Y_, un ideal en el que sigue pensando _X_ es el de _____. ¿Cierto o falso?

Focus: antecedent + article + _caul_ (_cuales_) or _que_ (sometimes with a preposition)

1. La razón por la cual estoy aquí hoy es _____

_____

2. El amor es una necesidad sin la cual (no) _____

_____

3. El ego es el elemento por el que puedo _____

_____

4. Un problema grande, el que más me molesta, es _____

_____

5. El principio por el que (cual) no puedo vivir es _____

_____

6. La actividad que hago todos los días sin la que (cual) no puedo vivir, es

_____

_____

7. El diablo es un símbolo por el que _____

_____

8. El humor es una necesidad sin la cual (no) _____

_____

Ejercicios: Según *X*, ¿qué es el humor?
¿Quién dice que el humor es una necesidad sin la cual _____?
X, ¿qué dice *Y*?
Z, de estas cosas, para usted, ¿qué es el humor?
Y, *X* dice que el humor . . . sin la cual _____. ¿Cierto o falso?

_____

Focus: possessive adjectives

1. A base de sus experiencias, mi mejor amigo(a) _____

_____

2. Según nuestra interpretación, mis amigos y yo entendemos que

_____

_____

3. De acuerdo con mi habilidad, algún día yo _____

_____

4. Según nuestros deseos, mi amigo(a) y yo vamos a _____

_____

5. En cuanto a mis padres, sus ideas _____

_____

6. En mis pesadillas, mis temores _____

_____

7. Aquí en nuestro país, algunos aspectos de nuestra cultura nos dan

_____

_____

Ejercicios: ¿Qué dice *X* de las ideas de sus padres?
¿Quién dice que las ideas de sus padres _____?
X, ¿qué dice *Y*?
Z, de estas cosas, en cuanto a sus padres, ¿qué tal sus ideas?
Y, hablando de los padres de *X*, sus ideas _____. ¿Cierto o
falso?

Focus: adjectives

1. Cuando cometo errores me siento _____

_____

2. El ambiente de nuestra clase es _____

_____

3. En una crisis mis amigos aprenden que soy _____

_____

4. Los hombres, por ser fuertes y agresivos, son _____

_____

5. Muchas veces cuando salgo de una situación difícil, me siento

_____

_____

6. Después de resolver mis problemas dificultosos, me veo _____

_____

7. Cuando respondo correctamente me siento _____

_____

8. Hoy en la escuela me veo _____

_____

Ejercicios: ¿Cómo se ve *X* hoy?
¿Quién se ve _____ hoy en la escuela?
X, ¿qué dice *Y*?
X, de estas cosas, ¿cómo nos vemos hoy?
Z, de estas cosas, ¿cómo se ve usted hoy?
Y, *X* dice que hoy se ve _____. ¿Cierto o falso?

Focus: *que*-clause as adjective

---

1. Creo que el servicio militar para mujeres es algo que _____

   _____

2. La psiquiatría es el campo que _____

   _____

3. El matrimonio es la situación que _____

   _____

4. Los intelectuales son las personas que _____

   _____

5. En mi opinión, la persona que no es capaz de mostrar cariño

   _____

   _____

6. En mi opinión, el hombre que no expresa fácilmente sus emociones

   _____

   _____

7. En mi opinión, la persona que desea mucho poder _____

   _____

8. A veces en mis sueños hay un tigre que _____

   _____

Ejercicios: Según *X*, ¿cómo es el campo de la psiquiatría?
¿Quién dice que la psiquiatría es el campo que _____?
X, ¿qué dice *Y*?
Z, de estas cosas, para usted, ¿cómo es el campo de la psiquiatría?
Y, según *X*, la psiquiatría es el campo que _____. ¿Cierto o falso?

Focus: subordinate (dependent) *que*-clause

1. La verdad de los cigarrillos es que _____

   _____

2. Frente al porvenir, estoy seguro(a) de que _____

   _____

3. Actuando como el Presidente de los Estados Unidos, pienso que

   _____

   _____

4. Para mejorar la situación familiar en mi casa, creo que _____

   _____

5. En asuntos de amor, me doy cuenta de que _____

   _____

6. Mi actitud hacia el trabajo es que _____

   _____

7. Si tengo muchas cosas materiales, no quiere decir automáticamente que

   _____

   _____

8. Doy por sentado el hecho de que _____

   _____

Ejercicios: Frente al porvenir, ¿de qué está seguro *X*?
   ¿Quién está seguro(a) de _____ ?
   X, ¿qué dice *Y*?
   X, de estas cosas, ¿de qué estamos seguros?
   Z, de estas cosas, ¿de qué está seguro(a) usted?
   Y, frente al porvenir, *X* está seguro(a) de que _____. ¿Cierto o falso?

Focus: indirect object pronoun and *que*-clause as direct object

1. Un suicidio me indica que _____

   _____

2. Mucho crimen me enseña que _____

_____

3. Una nación de alcohólicos me implica que _____

_____

4. Mucha tensión en mi vida me dice que _____

_____

5. Una persona completamente honrada me significa que _____

_____

6. La vida de una persona mentirosa me indica que _____

_____

7. Tantos divorcios que existen en la sociedad me ponen en manifestación que

_____

_____

8. Las estafas me indican que _____

_____

Ejercicios: ¿Qué le enseña mucho crimen a *X*?
¿Quién dice que mucho crimen le enseña que _____?
X, ¿qué dice *Y*?
Z, de estas cosas, ¿qué le enseña mucho crimen a usted?
Y, *X* dice que mucho crimen le enseña que _____. ¿Cierto o falso?

Focus: the verb form *parece* with indirect object pronoun

1. Me parece que el trabajo _____

_____

2. Me parece que la hermosura feminina _____

_____

3. Me parece que mi tiempo libre _____

_____

4. A mi amigo le parece que el poder psíquico _____

_____

5. En nuestra sociedad nos parece que la educación sexual _____

_____

6. Me parece que la desnutrición _____

_____

7. Me parece que las películas modernas _____

_____

8. Me parece que un cuerpo bien formado _____

_____

Ejercicios: ¿Qué le parece el trabajo a *X*?
¿Quién dice que le parece que el trabajo _____?
X, ¿qué dice *Y*?
X, de estas cosas, ¿qué le parece el trabajo a usted?
Y, a *X* le parece que el trabajo _____. ¿Cierto o falso?

Focus: some assorted phrases (idiomatic or colloquial)

1. Mi amigo(a) a veces quiere armar un lío conmigo tocante a

_____

_____

2. Una cosa que no quiero pasar por alto es _____

_____

3. El problema que tengo por delante es el de _____

_____

4. No le hago caso a _____ porque _____

_____   _____

5. Una cosa que nunca doy por sentado(a) es _____

_____

6. No meto la pata en _____

_____

7. Estoy a pie firme acerca de _____

_____

8. A mi amigo(a) a veces le tomo el pelo con respecto a su _____

_____

Ejercicios: ¿En qué no mete *X* la pata?
¿Quién no mete la pata en _____?
X, ¿qué dice *Y*?
X, de estas cosas, ¿en qué no metemos la pata?
Z, de estas cosas, ¿en qué no mete usted la pata?
Y, *X* no mete la pata en _____. ¿Cierto o falso?

Focus: equivalents for the concepts of "about," "concerning," "in terms of," etc.

1. Sobre la ley, tengo la opinión de que _____

_____

2. Acerca de lo positivo de mi mejor amigo(a), creo que _____

_____

3. En cuanto (concerniente) a mis posibilidades en una profesión, me parece que

_____

_____

4. Con respecto a la polémica sobre si existe o no un diablo, yo

_____

_____

5. Respecto del alcoholismo, creo que _____

_____

6. Referente a lo bello de esta vida, yo _____

_____

7. Tocante a la religión, digo que _____

_____

8. En términos de mis cualidades, la más importante es la de

_____

_____

Ejercicios: Sobre la ley, ¿qué opinión tiene *X*?
                ¿Quién tiene la opinión de que _____?
                X, ¿qué dice *Y*?
                Z, de estas cosas, ¿qué opinión tiene usted sobre la ley?
                Y, sobre la ley, *X* tiene la opinión de que _____. ¿Cierto o falso?

Focus: verb *ser* with *donde* (*donde . . . es en . . .*)

1. Donde he fracasado es en el área de _____

_____

2. Donde estoy más en mis sueños es en _____

_____

3. Donde tengo más miedo es en al área de _____

_____

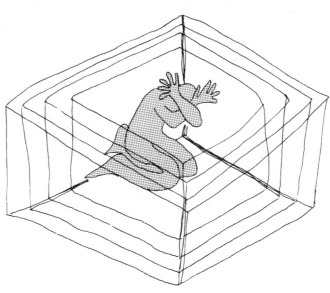

4. Donde hay fantasía en mi vida es en _____

_____

5. Donde puedo divertirme más es en _____

_____

6. Donde hay muchos problemas en mi vida es en _____

_____

Ejercicios: ¿En dónde tiene *X* más miedo?
¿Quién dice que donde tiene más miedo es en el área de _____?
X, ¿qué dice *Y*?
X, de estas cosas, ¿en dónde tenemos más miedo?
Z, de estas cosas, ¿en dónde tiene usted más miedo?
Y, *X* dice que donde . . . en el área de _____. ¿Cierto o falso?

Focus: *haber de* **(supposed to . . . , ought to . . .)**

1. En mi opinión, en una relación matrimonial, la pareja ha de

_____

_____

2. Para mejorar mi vida, he de _____

_____

3. Para ser más sincero(a) mi amigo(a) ha de _____

_____

4. Para ser menos indiferentes, uno al otro, hemos de _____

_____

5. Para sobresalir más en mis actividades, he de _____

_____

6. Para entenderme mejor, mis padres han de _____

_____

7. Para cumplir nuestros deberes, hemos de _____

_____

Ejercicios: Para mejorar su vida, ¿qué ha de hacer *X*?
¿Quién ha de _____ ?
X, ¿qué dice *Y*?
X, de estas cosas, ¿qué hemos de hacer para mejorar nuestra vida?
Z, de estas cosas, para mejorar su vida, ¿qué ha de hacer usted?
Y, X dice que ha de _____. ¿Cierto o falso?

Focus: present perfect tense

1. Durante mi vida he aprendido a apreciar _____

_____

2. Con respecto a mis amigos, no he _____

_____

3. En términos de la magia, he _____

_____

4. Toda mi vida he _____

_____

5. Nunca he _____

_____

6. En cuanto a mis vicios y hábitos, he abandonado _____

_____

7. Me gustaría ser recordado(a) por haber _____

_____

8. Mis amigos y yo nunca hemos _____

_____

9. Me gustaría ser considerado(a) por haber _____

_____

Ejercicios: ¿Qué ha hecho *X* toda su vida?
¿Quién ha _____ toda su vida?
X, ¿qué dice *Y*?
X, de estas cosas, ¿qué hemos hecho toda nuestra vida?
Z, de estas cosas, ¿qué ha hecho usted toda su vida?
Y, X ha _____ toda su vida. ¿Cierto o falso?

Focus: present perfect tense with *haber*

---

1. En mis sueños a veces ha habido _____

    _____

2. En mi dieta, siempre ha habido _____

    _____

3. En mis valores básicos, siempre ha habido _____

    _____

4. Con respecto a mis amores, ha habido _____

    _____

5. En mi familia, siempre ha habido _____

    _____

Ejercicios: ¿Qué ha habido en los sueños de *X*?
¿Quién dice que en sus sueños ha habido _____?
X, ¿qué dice *Y*?
Z, de estas cosas, ¿qué ha habido en sus sueños?
Y, en los sueños de *X* ha habido _____. ¿Cierto o falso?

Focus: past perfect tense

---

1. Hablando de habilidades, antes de los quince años, yo ya había aprendido a

    _____

    _____

2. Antes del comienzo de este año escolar, yo ya había _____

    _____

3. De niño(a), antes de los doce años, en mis fantasías, yo había

_____

_____

4. En el pasado, antes de haber ido a una fiesta tremenda, yo había

_____

_____

_____

Focus: *deber haber . . . -do*

1. Una vez llegué tarde a clase pero debiera haber llegado a tiempo porque

_____

_____

2. Una vez no fui a clase pero debiera haber ido porque _____

_____

3. No sé si vinieron acá unos seres extraterrestres pero creo que debieron haber venido porque

_____

_____

4. No sé si una vez un(a) chico(a) se enamoró de mí pero debió haberse enamorado de mí porque

_____

_____

5. Aunque no lo hice, yo debía haber _____

_____

6. Aunque no lo fui en mi fantasía, yo debía haber sido _____

_____

Ejercicios: ¿Qué debía haber hecho *X*?
¿Quién debía haber _____?
X, ¿qué dice *Y*?
X, de estas cosas, ¿qué debíamos haber hecho?
Z, de estas cosas, ¿qué debía haber hecho usted?
Y, *X* debía haber _____. ¿Cierto o falso?

Focus: present subjunctive in *que*-clause governed by impersonal phrase with *es*

1. Para ser honesto es esencial que _____

   _____

2. Para tener razón es necesario que _____

   _____

3. Hablando de amor, es una lástima que dos amantes _____

   _____

4. Respecto de mi familia, es mejor que yo _____

   _____

5. Para hacerme rico(a), es esencial que _____

   _____

6. En un accidente, es urgente que los accidentados _____

   _____

7. Pensando en mi amigo(a), es difícil que _____

   _____

8. A partir de _____ es posible que _____

   _____

Ejercicios: Respecto de su familia, ¿qué es mejor que haga *X*?
   ¿Quién dice que es mejor que _____?
   X, ¿qué dice *Y*?
   X, de estas cosas, ¿qué es mejor que hagamos?
   Z, de estas cosas, qué es mejor que haga usted?
   Y, respecto de la familia de *X*, es mejor que _____. ¿Cierto o falso?

Focus: present subjunctive in *que*-clause governed by main verb phrase

1. Espero que el gobierno _____

   _____

2. No quiero que mis amigos _____

_____

3. En lo político, exijo que mi representante en el congreso _____

_____

4. En asuntos médicos, protesto que _____

_____

5. En asuntos criminales, recomiendo que los líderes del país _____

_____

6. En asuntos ilegales, no me gusta que una persona _____

_____

7. Siempre me gusta que la gente _____

_____

8. Invito a que el gobernador _____

_____

Ejercicios: ¿Qué espera *X* que el gobierno haga?
¿Quién espera que el gobierno _____?
X, ¿qué dice *Y*?
Z, de estas cosas, ¿qué espera usted que el gobierno haga?
Y, *X* espera que el gobierno _____. ¿Cierto o falso?

**Focus: present subjunctive in *que*-clause governed
by main verb phrase**

1. Mi conciencia siempre me aconseja que _____

_____

2. En asuntos sociales, siempre me conviene que _____

_____

3. En lo personal, a menudo aconsejo que se _____

_____

4. Con respecto a lo psicodélico, dudo que se _____

_____

5. Hablando de mis padres, les pido que _____

_____

6. Pensando en lo fantástico, espero que _____

_____

Ejercicios: Pensando en lo fantástico, ¿qué espera *X*?
  ¿Quién espera que _____ ?
  X, ¿qué dice *Y*?
  X, de estas cosas, ¿qué esperamos nosotros?
  Z, de estas cosas, ¿qué espera usted?
  Y, pensando en lo fantástico, *X* espera que _____. ¿Cierto o falso?

Focus: present subjunctive in adverbial clause expressing indefinite future + future tense in main clause

1. Mañana cuando lleguen los marcianos, yo _____

_____

2. Después de que los marcianos aterricen, nosotros _____

_____

3. La próxima vez que vaya a la tierra de los gigantes, yo _____

_____

4. Cuando visite la corte del Rey Neptuno, yo _____

_____

5. Hasta que tenga un millón de dólares, yo _____

_____

6. Después de que cumpla los cincuenta años, mi mejor amigo(a)

_____

_____

7. Una vez que tenga un buen trabajo, yo _____

_____

Ejercicios: Una vez que tenga un buen trabajo, ¿qué hará *X*?
Una vez que tenga un buen trabajo, ¿quién _____?
X, ¿qué dice *Y*?
X, de estas cosas, ¿qué haremos nosotros, una vez que tengamos . . . ?
Z, de estas cosas, ¿qué hará usted, una vez que tenga . . . ?
Y, una vez que tenga un buen trabajo, *X* _____. ¿Cierto o falso?

Focus: present subjunctive with fixed adverbial phrases

1. Es bueno ser justo con todo el mundo para que _____

   _____

2. Antes de que me muera, quiero _____

   _____

3. A menos que tenga muchas dificultades, voy a _____

   _____

4. Con tal que alguien my apoye, pienso _____

   _____

5. Sin que haya dificultades, tendré _____

   _____

6. Antes de que cumpla los treinta años, deseo _____

   _____

7. A fin de que esté feliz, voy a _____

   _____

8. A menos que haya algún problema, trataré de _____

   _____

Ejercicios: Antes de que se muera *X*, ¿qué quiere?
¿Quién quiere _____, antes de que se muera?
X, ¿qué dice *Y*?
X, de estas cosas, antes de que nos muramos, ¿qué queremos?
Z, de estas cosas, ¿qué quiere usted?
Y, antes de que se muera, *X* quiere _____. ¿Cierto o falso?

Focus: present subjunctive with fixed adverbial phrase

1. Puedo sobrevivir sin que nadie _____

   _____

2. Puedo vivir satisfactoriamente con tal que _____

   _____

3. Quiero tomar mis propias decisiones sin que _____

   _____

4. En mi opinión tenemos vida para que _____

   _____

5. Trabajamos a fin de que _____

   _____

6. Seguiré viviendo a menos que _____

   _____

7. Tendré mucha felicidad a menos que _____

   _____

8. Soñamos despiertos para que _____

   _____

Ejercicios: X puede sobrevivir sin que nadie haga ¿qué cosa?
¿Quién puede sobrevivir sin que nadie _____?
X, ¿qué dice Y?
Z, de estas cosas, usted puede sobrevivir sin que nadie haga ¿qué cosa?
Y, X puede sobrevivir sin que nadie _____. ¿Cierto o falso?

Focus: present subjunctive with fixed adverbial phrases

1. Mis amigos van a fiestas para que _____

   _____

2. Necesitamos amor para que _____

   _____

3. Tomaré mis propias decisiones a menos que _____

   _____

4. Me casaré con tal que _____

   _____

5. En mi opinión celebramos fiestas a fin de que _____

   _____

6. Me voy a graduar con tal que _____

   _____

7. Mi novio(a) y yo nos llevaremos bien a menos que _____

   _____

8. Quiero conseguir un buen trabajo a fin de que _____

   _____

Ejercicios: ¿Bajo qué condiciones se va a graduar *X*?
           ¿Quién se va a graduar con tal que _____ ?
           X, ¿qué dice *Y*?
           Z, de estas cosas, ¿bajo qué condiciones se va a graduar usted?
           Y, *X* va a graduarse con tal que _____ . ¿Cierto o falso?

Focus: *por muy* (or *más*) + adjective + *que*-clause with subjunctive (or *por más* + noun)

1. Por muy sabio(a) que sea, yo _____

   _____

2. Por muy alerta que esté, mi mejor amigo(a) _____

   _____

3. Por más dedicación que tenga mi padre, él _____

   _____

4. Por más listos que seamos en nuestros sueños, nosotros _____

   _____

5. Por más interesantes que traten de ser mis amigos(as), ellos(as)

_____

_____

6. Por muy chistosos que sean mis amigos, (yo) _____

_____

Ejercicios: Por muy sabio(a) que *X* sea, ¿qué hace o cómo es?
Por muy sabio(a) que sea, ¿quién _____?
X, ¿qué dice *Y*?
Z, de estas cosas, por muy sabio(a) que sea, ¿qué hace usted?
Y, por muy sabio(a) que sea, *X* _____. ¿Cierto o falso?

Focus: *por muy* (or *más*) + adjective + *que*-clause with subjunctive

1. Por muy listo(a) que sea, no puedo _____

_____

2. Por muy terco(a) que sea mi amigo(a), todavía él/ella _____

_____

3. Por más capaz que parezca, quiero seguir _____

_____

4. Por muy cómodo(a) que esté, voy a _____

_____

5. Por muy sarcástico(a) que me ponga, todavía no dejo de _____

_____

6. Por más ambicioso(a) que llegue a ser, no quiero _____

_____

7. Por muy ricos(as) que nos hagamos, no podremos _____

_____

Ejercicios: Por muy listo(a) que sea, ¿qué no puede hacer *X*?
¿Quién dice que por muy listo(a) que sea, no puede _____?
X, ¿qué dice *Y*?

X, de estas cosas, por muy listos que seamos, ¿qué no podemos hacer?

Z, de estas cosas, por muy listo(a) que sea, ¿qué no puede hacer used?

Y, por muy listo(a) que sea, *X* no puede _____. ¿Cierto o falso?

Focus: *ojalá* with following verb in present subjunctive, meaning "I hope" (in the sense of feeling that there still is hope)

---

1. Hablando de precios, ojalá _____

_____

2. Hablando de mis problemas, ojalá _____

_____

3. Considerando mis estudios, ojalá _____

_____

4. Pensando en mis amigos, ojalá _____

_____

5. Con respecto a la política, ojalá _____

_____

6. Pensando en mi carrera, ojalá _____

_____

7. Considerando mi conducta, ojalá _____

_____

8. Referente a mi novio(a), ojalá _____

_____

9. En cuanto al futuro de este páis, ojalá _____

_____

Ejercicios: Pensando en sus amigos, *X* dice que ojalá ocurra ¿qué cosa?
Pensando en sus amigos, ¿quién dice que ojalá _____?
X, ¿qué dice *Y*?
Z, de estas cosas, pensando en . . ., ¿qué dice usted que ojalá ocurra?

Y, pensando en sus amigos, *X* dice que ojalá _____ . ¿Cierto o falso?

Focus: *ojalá* with following verb in past subjunctive meaning "I wish" (in the sense of feeling that there is no hope)

---

1. Pensando en la envidia del hombre, ojalá _____

    _____

2. Considerando los crímenes, ojalá _____

    _____

3. Hablando de la televisión, ojalá _____

    _____

4. Pensando en mi vida, ojalá _____

    _____

5. Con respecto a mis amigos, ojalá _____

    _____

6. Pensando en el egoísmo del hombre, ojalá _____

    _____

7. En cuanto a la vanidad del individuo, ojalá _____

    _____

8. Tocante a la codicia de los seres humanos, ojalá _____

    _____

Ejercicios: Pensando en su vida, *X* dice que ojalá ocurriera ¿qué cosa?
Pensando en su vida, ¿quién dice que ojalá _____ ?
Z, de estas cosas, pensando en . . . , ¿qué dice usted que ojalá ocurriera?
Y, pensando en . . . , *X* dice que ojalá _____ . ¿Cierto o falso?

Focus: past subjunctive in *que*-clause governed by past or conditional tense of main clause

---

1. Antes, con respecto a mi vida, era difícil que yo _____

    _____

2. Cuando esté muerto(a), me gustaría que mis amigos se acordaran de mí como una persona que

_____

_____

3. Pensando como mi madre, les diría a mis niños que _____

_____

4. Antes, respecto de mis relaciones sociales, era fácil que yo _____

_____

5. Mis padres preferirían que yo _____

_____

6. Antes, en mi imaginación infantil, mi amigo siempre deseaba que yo

_____

_____

7. En el pasado, cuando enojado(a), deseaba que mis padres _____

_____

Ejercicios: ¿Qué preferirían sus padres que _X_ hiciera?
¿Quién dice que sus padres preferirían que él/ella _____?
_X_, ¿qué dice _Y_?
_X_, de estas cosas, ¿qué preferirían nuestros padres que hiciéramos?
_Z_, de estas cosas, ¿qué preferirían sus padres que usted hiciera?
_Y_, los padres de _X_ preferirían que él/ella _____. ¿Cierto o falso?

Focus: verbs of persuasion with subjunctive in _que_-clause

---

1. El león le pidió al ratón que _____

_____ ____

2. El ratón le dijo al león que _____

_____

3. El sol le mandó al viento que _____

_____

4. La hormiga le aconsejó al saltamontes que _____

_____

5. El lobo le exijió a la oveja que _____

_____

6. La liebre le aconsejó a la tortuga que _____

_____

7. La tortuga le recomendó a la liebre que _____

_____

8. El zorro le dijo a la cuerva que _____

_____

9. El gato les invitó a los ratones a que _____

_____

Ejercicios: Según *X*, ¿qué le dijo el ratón al león?
¿Quién dice que el ratón le dijo al león que _____?
X, ¿qué dijo *Y*?
Z, de estas cosas, ¿qué piensa usted que le dijo el ratón al león?
Y, según *X*, el ratón le dijo al león que _____. ¿Cierto o falso?

Focus: past subjunctive in fixed abverbial phrases

1. Por un día desearía vivir fuera de mi propio ser para que _____

_____

2. Por una semana me gustaría ser una superpersona a fin de que

_____

_____

3. Antes quería vivir en un mundo de fantasía sin que _____

_____

4. Antes tenía ganas de ser muy rico(a) con tal que _____

_____

5. En el pasado no me gustaba estar solo(a) a menos que _____

_____

6. Muchas veces yo comprendía las situaciones antes de que _____

_____

Ejercicios: Según *X*, ¿para qué desearía vivir fuera de su propio ser?
¿Quién desearía vivir . . . para que _____?
X, ¿qué dice *Y*?
X, de estas cosas, ¿para qué desearíamos vivir . . . ?
Z, de estas cosas, ¿para qué desearía usted vivir . . . ?
Y, *X* desearía vivir . . . para que _____. ¿Cierto o falso?

Focus: hypothetical situation (contrary to fact or reality)

1. Estudiaría la medicina (el derecho), si _____

_____

2. Si tuviera (tuviese) una varita mágica, podría _____

_____

3. Si hubiera (hubiese) vivido en la Edad Media, yo habría _____

_____

4. Yo sería el Presidente del mundo, si _____

_____

5. Yo produciría muchos cambios en nuestra sociedad, si _____

_____

6. La historia de los Estados Unidos habría sido diferente, si _____

_____

7. Si no estuviera aquí en este momento, estaría _____

_____

Ejercicios: Si tuviera una varita mágica, ¿qué podría hacer *X*?
Si tuviera una varita mágica, ¿quién podría _____?
X, ¿qué dice *Y*?
X, de estas cosas, si tuviéramos . . . , ¿qué podríamos hacer?
Z, de estas cosas, si tuviera usted . . . , ¿qué podría hacer usted?
Y, si tuviera . . . , *X* podría _____. ¿Cierto o falso?

Focus: hypothetical situation (contrary to fact or reality)

1. Si me quedaran (quedasen) sólo veinticuatro horas para vivir, yo

_____

_____

2. Si fuera (fuese) un preso en una prisión, yo _____

_____

3. Si estuviera (estuviese) en la cárcel, yo _____

_____

4. Soy una mujer, pero si fuera (fuese) un hombre, yo _____

_____

5. Soy un hombre, pero si fuera (fuese) una mujer, yo _____

_____

6. Si pudiera (pudiese) trabajar para un millonario, _____

_____

7. Si viviera (viviese) en la corte del Rey Neptuno, _____

_____

Ejercicios: Si estuviera en la cárcel, ¿qué haría _X_?

Si estuviera en la cárcel, ¿quién _____ ?

_X_, ¿qué dice _Y_?

_X_, de estas cosas, si estuviéramos . . . , ¿qué haríamos?

_Z_, de estas cosas, si estuviera . . . , ¿qué haría usted?

_Y_, si estuviera . . . , _X_ _____. ¿Cierto o falso?

Focus: past subjunctive in _como si_ (as if) clause

1. Tarzán lucha como si _____

_____

2. Expongo mi personalidad como si _____

_____

3. Las realidades de mi vida me afectan como si _____

_____

4. Gano dinero como si _____

_____

5. Gasto dinero como si _____

_____

6. Mis amigos y yo vivimos como si _____

_____

7. Mi amigo(a) habla como si _____

_____

8. Los políticos se portan como si _____

_____

9. La policía trabaja como si _____

_____

Ejercicios: Según *X*, ¿cómo lucha Tarzán?
¿Quién dice que Tarzán lucha como si _____?
X, ¿qué dice *Y*?
Z, de estas cosas, ¿cómo cree usted que lucha Tarzán?
Y, según *X*, Tarzán lucha como si _____. ¿Cierto o falso?

Focus: past subjunctive in independent clause

1. Quisiera estar en contacto íntimo con _____

_____

2. Yo debiera _____

_____

3. Yo hubiera estudiado más, si hubiera _____

_____

4. Yo pudiera haber hecho más en mi vida, si hubiera _____

_____

5. Yo debiera haberme organizado más para que _____

_____

6. En mi opinión mi senador debiera _____

_____

7. Algún día yo quisiera _____

_____

8. Yo quisiera que mi mejor amigo(a) _____

_____

Ejercicios: ¿Qué debiera hacer *X*?
¿Quién debiera _____ ?
X, ¿qué dice *Y*?
X, de estas cosas, ¿qué debiéramos hacer nosotros?
Z, de estas cosas, ¿qué debiera hacer usted?
Y, *X* debiera _____. ¿Cierto o falso?
Y, ¿debiera usted _____ o _____ ?

Focus: perfect tense in past subjunctive in both clauses

---

1. Antes, si yo hubiera tenido más dinero, hubiera podido

_____

_____

2. En mi niñez, si yo hubiera tenido más habilidad, hubiera

_____

_____

3. Antes, si mi amigo(a) hubiera sabido más, hubiera _____

_____

4. De niño(a), si yo hubiera creído en los fantasmas, hubiera

_____

_____

5. Antes, si yo hubiera seguido mis primeras impresiones, hubiera sido

_____

_____

6. Cuando era más joven, si hubiera pensado mucho en amontonar cosas materiales, hubiera _____

_____

7. En el pasado, si yo hubiera nacido en otro país, hubiera _____

_____

Ejercicios: ¿Qué hubiera hecho *X*, si hubiera nacido en otro país?
¿Si hubiera nacido en otro país, ¿quién hubiera _____?
X, ¿qué dice *Y*?
X, de estas cosas, ¿qué hubiéramos hecho nosotros?
Z, de estas cosas, según usted, ¿qué hubiera hecho usted?
Y, si hubiera nacido en otro país, *X* hubiera _____. ¿Cierto o falso?

Focus: *cuy-* **(whose) + noun + verb phrase**

1. Dick Tracy es un detective cuyo conocimiento _____

_____

2. _____ es un actor cuy- _____

_____

3. Mi amigo(a) es una persona cuy- _____

_____

4. En mi opinión la política es un poder cuy- _____

_____

5. La televisión es un medio de comunicación cuy- _____

_____

6. La natación es un deporte cuy- _____

_____

7. El perro puede ser un amigo cuy- _____

_____

8. Un racista es una persona cuya actitud _____

_____

Ejercicios: Según *X*, ¿qué es la televisión?

¿Quién dice que la televisión es un medio de comunicación cuy-
_____ ?

X, ¿qué dice *Y*?

Z, de estas cosas, según usted, ¿qué es la televisión?

Y, *X* dice que la televisión . . . cuy- _____ . ¿Cierto o falso?

Focus: preposition *para* (to, in order to)

---

1. La paciencia es buena para _____

  _____

2. La amistad es buena para _____

  _____

3. La confianza es esencial para _____

  _____

4. Los chistes son esenciales para _____

  _____

5. A veces dispongo de dinero para _____

  _____

6. Para divertirme, yo _____

  _____

7. Para llegar al fin del arco iris, tendré que pasar por _____

  _____

8. Para ser más sincero(a), yo _____

  _____

9. El humor es bueno para _____

  _____

Ejercicios: Según *X*, ¿para qué es esencial la confianza?

¿Quién dice que la confianza es esencial para _____ ?

X, ¿qué dice *Y*?

Z, de estas cosas, ¿para qué es esencial la confianza?

Y, según *X*, la confianza es esencial para _____ . ¿Cierto o falso?

Focus: preposition *para* + pronoun

1. Para mí el sol representa _____

   _____

2. Para nosotros la luna significa _____

   _____

3. Para mí las estrellas simbolizan _____

   _____

4. Para mí el amor viene a ser _____

   _____

5. Para mí el éxito refleja _____

   _____

6. Para mí la vergüenza sugiere _____

   _____

7. Para nosotros la muerte debe significar _____

   _____

8. Para mí la envidia significa _____

   _____

9. Para mí la codicia refleja _____

   _____

Ejercicios: Para *X,* ¿qué representa el sol?
  ¿Quién dice que el sol representa _____?
  X, ¿qué dice *Y*?
  X, de estas cosas, para ustedes, ¿qué representa el sol?
  Z, de estas cosas, para usted, ¿qué representa el sol?
  Y, para *X,* el sol representa _____. ¿Cierto o falso?
  Y, para usted, representa el sol _____ o _____?

Focus: preposition *para* (for a)

1. Para amigo(a), mi mejor amigo(a) _____

   _____

2. Para actor, Robert Redford _____

_____

3. Para cantante, mi favorita es _____

_____

4. Para profesor(a), mi profesor(a) de . . . _____

_____

5. Para detective, Dick Tracy _____

_____

6. Para gobierno, una república _____

_____

7. Para hombre de selva, Tarzán _____

_____

Ejercicios: Para detective, ¿qué dice *X* de Dick Tracy?
¿Quién dice que, para detective, Dick Tracy _____?
X, ¿qué dice *Y*?
Z, de estas cosas, para detective, ¿qué dice usted de Dick Tracy?
Y, para detective, *X* dice que Dick Tracy _____. ¿Cierto o falso?

Focus: preposition *para* (to, in order to, for, for a)

1. Eso de cinco minutos para comer me parece _____

   _____

2. Eso de estudiar para una carrera me parece _____

   _____

3. Lo importante que tengo para mañana es _____

   _____

4. Para mañana tengo que _____

   _____

5. Para padre, mi padre _____

   _____

6. Para un grupo de "Rock," los Beachboys _____

   _____

7. Para político, mi senador _____

   _____

8. Para estudiante, yo _____

   _____

Ejercicios: Para estudiante, ¿cómo es X?
   ¿Quien dice que, para estudiante, es _____ ?
   X, de estas cosas, para estudiantes, ¿cómo son ustedes?
   Z, de estas cosas, para estudiante, ¿cómo es usted?
   Y, para estudiante, X es _____. ¿Cierto o falso?

Focus: preposition *por* (on account of, because of, by)

1. Lo que yo haría por mi familia es _____

   _____

2. Por estar entusiasmado(a), puedo _____

   _____

3. Por tratar de ser creativo(a), deseo _____

_____

4. Por querer tener confianza en el gobierno, voy a _____

_____

5. Por haber cometido errores en varias ocasiones voy a

_____

_____

6. Por sentirme feliz, pienso _____

_____

7. Por no ser violento(a), trato de _____

_____

8. Para poder disfrutar de esta vida, deseo aprender mucho por medio de

_____

_____

9. Para mí, la belleza feminina se desarrolla por medio de

_____

_____

Ejercicios: Por sentirse feliz, ¿qué piensa hacer *X*?
¿Quién dice que, por sentirse feliz, piensa _____?
X, ¿que dice *Y*?
X, de estas cosas, por sentirnos felices, ¿qué pensamos hacer?
Z, de estas cosas, por sentirse feliz, ¿qué piensa hacer usted?

Focus: preposition *por* (for, because of, by, because of wanting)

1. Por veinte dólares podría _____

_____

2. Por mis habilidades, yo _____

_____

3. Por mis deficiencias, _____

_____

4. Por ser buena persona, mi padre _____

_____

5. Por ser buena persona, mi mejor amigo(a) _____

_____

6. Por complacer a mis amigos, yo _____

_____

7. Por complacerme, mis amigos(as) _____

_____

8. Algo que yo haría por mi amigo(a) es _____

_____

9. Usualmente pido perdón por _____

_____

Ejercicios: Por sus habilidades, ¿qué hace *X*?
  ¿Quién dice que, por sus habilidades, _____?
  X, ¿qué dice *Y*?
  X, de estas cosas, por nuestras habilidades, ¿qué hacemos?
  Z, de estas cosas, por sus habilidades, ¿qué hace usted?
  Y, por sus habilidades, *X* _____. ¿Cierto o falso?

Focus: preposition *por*
(for, on behalf of, because of wanting, in exchange for)

1. Lo que yo haría por mi patria _____

_____

2. Por estar en España, yo daría _____

_____

3. Por una vida buena y tranquila, creo que mi mejor amigo(a) daría

_____

_____

4. En la tierra de fantasía, yo compraría _____

_____

por _____

_____

5. Para aprender a hablar español bien, debería vivir en el mundo hispánico
   por _____

   _____

Ejercicios: En la tierra de fantasía, ¿por cúanto dinero compraría *X* _____ ?
              ¿Quién compraría _____ por _____ ?
              X, ¿qué dice *Y*?
              X, de estas cosas, ¿qué compraríamos y por cuánto dinero?
              Z, de estas cosas, ¿qué compraría usted por _____ ?
              Y, en la tierra de fantasía, *X* compraría _____ por _____ .
              ¿Cierto o falso?

Focus: some prepositions with certain verbs and verb phrases

1. A menudo me preocupo por _____

   _____

2. Una persona elegante me hace pensar en _____

_____

3. Mucho de lo que tengo proviene de _____

_____

4. Algo que me produce gran satisfacción tiene que ver con

_____

_____

5. Mis sueños consisten en _____

_____

6. Los éxitos que tengo dependen de _____

_____

7. Con respecto a mis condiciones económicas, me aprovecho de

_____

_____

8. Hablando de los recursos a mi alcance, me aprovecho de

_____

_____

Ejercicios: ¿En qué consisten los sueños de *X*?
¿Quién dice que sus sueños consisten en _____ ?
X, ¿qué dice *Y*?
Z, de estas cosas, ¿en qué consisten los sueños de usted?
Y, los sueños de *X* consisten en _____. ¿Cierto o falso?
Y, ¿consisten los sueños de usted en _____ o en _____ ?

Focus: some verbs and nouns with *a*

1. Por fin empiezo a _____

_____

2. Hoy pienso volver a _____

_____

3. Un político tiene obligación a _____

_____

4. Con una promesa me obligo a _____

_____

5. En las relaciones humanas, tiendo a _____

_____

6. En cuanto a mis deberes, tengo tendencia a _____

_____

7. No cumplo todos mis deberes debido a _____

_____

8. Recientemente me he decidido a _____

_____

9. Para lograr algo muy interesante, me atrevo a _____

_____

Ejercicios: ¿Qué se ha decidido a hacer *X*?
¿Quién se ha decidido a _____ ?
X, ¿qué dice *Y*?
X, de estas cosas, ¿qué nos hemos decidido a hacer?
Z, de estas cosas, ¿qué se ha decidido usted a hacer?
Y, *X* se ha decidido a _____. ¿Cierto o falso?

Focus: the verb *olvidar, olvidarse de, se me olvida*

1. A menudo olvidamos _____

_____

2. Quiero olvidarme de _____

_____

3. Nunca puedo olvidar _____

_____

4. A veces se me olvida(n) _____

_____

5. Mis padres nunca olvidan _____

_____

6. Accidentalmente una vez se me olvidó _____

_____

7. A veces mi novio(a) se olvida de _____

_____

8. Humorísticamente, una vez olvidé _____

_____

Ejercicios: ¿Qué no puede olvidar *X* nunca?
¿Quién nunca puede olvidar _____?
X, ¿qué dice *Y*?
X, de estas cosas, ¿qué no podemos olvidar nunca?
Z, de estas cosas, ¿qué no puede olvidar nunca usted?
Y, *X* nunca puede olvidar _____. ¿Cierto o falso?

Focus: some prepositions with frequently occurring verbs and nouns

1. Mi éxito en la vida depende de _____

_____

2. Tengo confianza en _____

_____

3. Me confío en _____

_____

4. Estoy orgulloso(a) de _____

_____

5. Mis pesadillas consisten en _____

_____

Ejercicios: ¿En qué consisten las pesadillas de *X*?
¿Quién dice que sus pesadillas consisten en _____?
X, ¿qué dice *Y*?

Z, de estas cosas, ¿en qué consisten sus pesadillas?

Y, las pesadillas de *X* consisten en _____. ¿Cierto o falso?

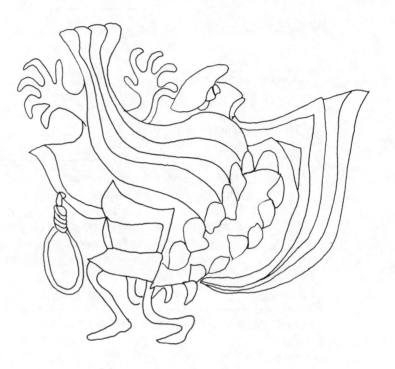

Focus: some prepositions with frequently occurring verbs and nouns

1. Mi amigo no cree en _____

_____

2. Estoy en contra de _____

_____

3. En nuestra sociedad todos estamos a favor de _____

_____

4. Soy muy rico(a) y tengo interés en _____

_____

5. Hoy tengo entusiasmo por _____

   _____

6. Por lo general estoy entusiasmado(a) por _____

   _____

7. Soy partidario de _____

   _____

8. Tengo miedo de _____

   _____

Ejercicios: ¿De qué es partidario X?
              ¿Quién es partidario de _____?
              X, ¿qué dice Y?
              X, de estas cosas, ¿de qué somos partidarios?
              Z, de estas cosas, ¿de qué es partidario usted?
              Y, X es partidario de _____. ¿Cierto o falso?
              Y, ¿es usted partidario de _____ o de _____?

Focus: present participle

1. Mirando el mundo por los ojos de un perro, yo _____

   _____

2. Mirando el mundo por los ojos de un(a) viejo(a),

   yo _____

   _____

3. Tomando el papel de un(a) policía, tengo que _____

   _____

4. Hablando de mi meta en la vida, quiero _____

   _____

5. Siendo una persona imaginativa, voy a _____

   _____

6. Sabiendo algo de la vida, puedo concluir que _____

   _____

7. Siendo una persona fantástica yo _____

_____

8. Habiendo muchas oportunidades en esta vida, tengo ganas de

_____

_____

Ejercicios: Siendo una persona imaginativa, ¿qué va a hacer *X*?
¿Quién va a _____?
X, ¿qué dice *Y*?
X, de estas cosas, ¿qué vamos a hacer?
Z, de estas cosas, ¿qué va a hacer usted?
Y, siendo una persona imaginativa, *X* va a _____. ¿Cierto o falso?

PREFERENCE-RANKING MODEL

Usualmente hablo
3 rápido
1 tranquilo
2 demasiado

One possible ranking

The preference-ranking model also forms part of ALA materials. It is an Affective Learning Activity because you must use your own values, opinions, imagination, or personal experiences to judge with which one of the three items of the model you identify most and, based on your preferences, to determine how you would rank all three.

This model is unlike the situation and open-ended sentence models. In the latter two, you create and provide volunteered responses. In the present model all the lesson content is provided. Its construction consists of a lead-in phrase and three phrases that act as logical endings to the lead-in phrase. Your task is to become familiar with the three items and rank them in order of preference according to your own sense of values. For this learning activity, you are to work within the framework of the three choices given, and it is here that you are asked to put your values or opinions into focus.

IMPLEMENTATION

In a preference-ranking activity the main language structure is located in one of two places. It is found either in the lead-in phrase or in the three items to be ranked. After your teacher has identified and presented the item he or she wants you to work with, you respond to the material by ranking your choices based on a three-point scale of preferences: number 1 is for your first preference, 2 is for your second preference, and 3 is for the third preference or least preferred item. You mark the short blank lines with the three numbers that identify your three preferences in rank order.

Your teacher will then ask three or four of you what your three preferences are. After the three or four of you have responded and the teacher has recorded your responses on the chalkboard (see the chart, below), he or she may ask other students questions about the rankings. The following questions are typical of those used for this model:

X, what is your first preference?
X, what is your second preference?
X, what is your third (or last) preference?
Z, what is X's third preference? (first preference? second preference?)
Y, what does X say his/her first preference is?
Who says his/her first preference is _____ ?
X, Y says his first preference is _____ . True or false?

Each time you focus attention on the choices for the purpose of ranking your preferences, you will be exposed to the specific language structure being practiced. In addition, each time you and your teacher work together with the exercise questions you will practice the structure verbally.

This activity takes on a dimension usually not found in other language learning exercises. After you have all ranked your individual preferences and your teacher has asked three or four of you to volunteer your rankings, the teacher, in effect, has taken a poll—a random sampling of the whole class. For example, your teacher may elicit the following rankings from four students:

Usually I like to shop
1221 alone.
3333 with several people.
2112 with one person.

Preference rankings of four
students written on chalkboard.
Read the numbers in columns.

This poll suggests that the general feeling of all members of the class is that they prefer least of all to go shopping with several people. The poll-taking activity is productive in generating further possible discussion. With the data showing that there is a tendency toward one item or another, your teacher may ask what you know about the item that makes it either attractive or unattractive as a preferred choice. A discussion about that information makes excellent practical conversation.

You may also learn to ask the exercise questions. After doing so, you may cluster in small groups to question each other about your preference rankings. The preference numbers of all the members of a small group are recorded by each person in that group. After you have discussed the rankings in groups, your teacher may then continue with the questioning activity.

Focus: *estar*

1. Estoy en contra de
   _____ más de dos partidos políticos.
   _____ un gobierno central grande.
   _____ un colegio electoral.

2. Estoy en contra de
   _____ un ejército voluntario.
   _____ un reclutamiento agresivo.
   _____ nuestras bases militares en otros países.

3. Estoy a favor
   _____ de un sistema público de transporte rápido.
   _____ del libre uso del coche privado.
   _____ de un mayor uso de los trenes públicos.

4. Cuando estoy cansado(a), prefiero
   _____ estar solo(a).
   _____ estar con varias personas.
   _____ estar con un(a) amigo(a) especial.

5. Creo que mi amigo(a) está a favor de
   _____ las drogas.

_____ la religión.
_____ la educación sexual.

6. Estoy en contra de
   _____ las películas muy pornográficas.
   _____ los cigarrillos fumados en lugares públicos.
   _____ las burocracias grandes.

7. Mis padres están a favor de
   _____ la religión.
   _____ la educación sexual.
   _____ mucho trabajo y poca diversión.

8. Estoy celoso(a) cuando mi amigo (a)
   _____ gana más prestigio que yo.
   _____ sale con más chicos(as) que yo.
   _____ habla mejor que yo.

9. Cuando estoy comiendo, no me gusta
   _____ estar pensando en mis problemas.
   _____ estar nervioso(a).
   _____ estar con personas molestosas.

Focus: **forms of the verb** *ser*

1. Las películas pornográficas son
   _____ pura basura.
   _____ una expresión artística y necesaria.
   _____ espectaculares.

2. Soy más violento(a)
   _____ en mis sueños.
   _____ en mi trabajo.
   _____ en mis asuntos sociales.

3. Lo que produce más problemas
   sociales en la comunidad

   _____ es la criminalidad.

   _____ es el alcohol.

   _____ son las drogas.

4. Lo que produce más tristeza en mi
   vida

   _____ son los argumentos con
   mis amigos.
   _____ son los argumentos con
   mis padres.
   _____ es cometer errores.

5. Lo mejor para la humanidad es

   _____ una vida espiritual.

   _____ una vida materialista.

   _____ una vida social.

6. Un aspecto cultural del mundo
   hispánico que prefiero estudiar

   _____ son las actitudes políticas.

   _____ son las actitudes sobre
   los deportes.
   _____ es el desarrollo de las
   Bellas Artes.

Ejercicios: ¿Dónde es *X* más violento(a) primero?
   ¿Cuál es la primera preferencia de *Y*?
   ¿Quién dice que es más violento(a) en _____?
   X, de estas cosas, según usted, ¿dónde somos más violentos?
   Z, de estas cosas, ¿cuál es su primera preferencia de usted?
   Y, *X* es más violento(a) primero en _____. ¿Cierto o falso?

Focus: forms of the verb *ser*

---

1. Soy

   _____ introvertido(a).

   _____ extravertido(a).

   _____ un balance entre los dos.

2. Creo que el aspecto más acogedor
   de mi ciudad

   _____ son los monumentos y
   parques.
   _____ es la variedad de edificios.

   _____ es la amabilidad de los
   habitantes.

3. En los asuntos humanos soy

   _____ humanista.

   _____ pesimista.

   _____ conformista.

4. Frente a los estudios,
   mayormente somos

   _____ apáticos.

   _____ despreocupados.

   _____ bastante organizados.

5. En sentido social mi amigo(a) es

   _____ conformista.

   _____ sexista.

   _____ solitario(a).

6. Lo que me divierte más
   _____ son los deportes.

   _____ son los cines.

   _____ es la televisión.

7. En sentido político, mis amigos y yo somos

_____ izquierdistas.

_____ derechistas.

_____ moderados.

8. En mi opinión, la faceta más interesante de mi ser total

_____ es mi espontaneidad.

_____ es mi apariencia.

_____ es mi conducta social.

Ejercicios: ¿Cómo es X primero? (¿segundo?)
¿Cuál es la primera preferencia de Y?
¿Quién dice que primero él/ella es _____? (¿segundo? ¿tercero?)
X, ¿qué dice Y?
X, de estas cosas, ¿cómo somos nosotros primero? (¿segundo?)
Z, de estas cosas, ¿cómo es usted primero?
Y, X dice que primero él/ella es _____. ¿Cierto o falso?

Focus: *donde + ser*

---

1. Donde empleo más prudencia es

_____ en el coche.

_____ con mis padres.

_____ en la escuela.

2. Donde tengo más confianza es

_____ con muchas personas.

_____ con una o dos personas.

_____ donde me encuentro solo(a).

3. Donde soy más cortés es

_____ en mi propia casa.

_____ en la casa de un amigo.

_____ en una oficina profesional.

4. Donde pongo en marcha mi encanto personal es

_____ en la casa de mi novio(a).

_____ en una fiesta.

_____ en el despacho de mi profesor(a).

5. Donde me veo más asustado(a) es

_____ en un cementerio de noche.

_____ en un avión con mucho tambaleo.

_____ en una película horripilante.

6. Donde me río más es

_____ en una fiesta con amigos.

_____ en una carnaval.

_____ ante una película muy cómica.

Ejercicios: Primero, ¿dónde es X más cortés?
¿Quién dice que primero es más cortés en _____?
X, ¿qué dice Y?
X, de estas cosas, según usted, ¿dónde somos más corteses primero?
Z, de estas cosas, ¿cuál es su primera preferencia?
Y, primero X es más cortés en _____. ¿Cierto o falso?

Focus: *ser + capaz + de*

1. Cada persona es capaz de

   _____ determinar su propia conducta.

   _____ distinguir entre el bien y el mal.

   _____ cometer injusticias.

2. Soy capaz de

   _____ ser más inteligente.

   _____ comunicarme mejor.

   _____ comportarme mejor.

3. Mis amigos(as) y yo somos capaces de

   _____ malgastar este año escolar.

   _____ soñar mucho con el futuro.

   _____ trasnochar todo el fin de semana, charlando mucho.

4. Mi amigo(a) es capaz de

   _____ hacerse millonario.

   _____ sobresalir en sus estudios.

   _____ inventar unos chistes buenos.

Focus: concept of "come from" and "stem from" (*salir de, provenir de*)

1. Mis temores actuales principalmente salen de

   _____ mis sueños.

   _____ mi niñez.

   _____ mis defectos.

2. Mis deseos principalmente provienen de

   _____ mis necesidades.

   _____ mis temores.

   _____ mis sueños.

3. Mi poder creativo proviene de

   _____ mis fantasías.

   _____ mi energía psíquica.

   _____ mis sueños.

4. El motivo que tengo de enfrentar cada día proviene de

   _____ mi apego a la vida.

   _____ mi deseo de hacer amistades.

   _____ mi deseo de ganar algo material.

5. Los chismes que cuento acerca de mis conocidos provienen de

   _____ sus defectos.

   _____ mis inseguridades.

   _____ su conducta.

Focus: some verbs

1. Muchas veces en mis sueños
trato de

_____ escaparme de algo.

_____ inventar algo.

_____ hallar algo.

2. Lo que me trae más placer en mi
vida es

_____ ostentar mis propias ideas.

_____ golpearme el pecho.

_____ profundizarme en mi propia
imaginación.

3. En casa me es más importante

_____ sacudir el polvo.

_____ fregar los platos.

_____ sacar la basura.

4. Algún día ojalá tenga ocasión de

_____ emprender una exploración
científica.

_____ fomentar un programa por
los pobres.

_____ corregir algún mal.

5. La religión, la veo como un factor
que

_____ podría resolver muchos
problemas personales.

_____ provoca muchos problemas
personales.

_____ no influye mucho sobre
la sociedad.

6. Lo que me fascina hacer es

_____ dibujar.

_____ hacerme el tonto.

_____ adquirir cosas.

7. Lo que desearía hacer es

_____ pedir prestado un cañon.

_____ pronunciar un discurso
magnífico.

_____ contradecir a mis
adversarios.

8. Para el año próximo deseo

_____ enamorarme de alguien.

_____ amontonar muchos bienes
materiales.

_____ desmontar todas las
complicaciones de mi vida.

Ejercicios: ¿Qué le fascina hacer a X primero?
¿Cuál es la primera preferencia de Y?
¿Quién dice que primero lo que le fascina hacer es _____?
Z, de estas cosas, ¿cuál es la primera preferencia de usted?
Y, lo que le fascina hacer a X primero es _____. ¿Cierto o falso?

Focus: *deber* + infinitive verb phrase

1. En la sociedad el papel femenil
debe ser

_____ el de ama de casa.

_____ más profesional.

_____ más sumiso al hombre.

2. En la sociedad el papel masculino debe ser

_____ ganador de la vida para la familia.

_____ más sumiso a la mujer.

_____ el de amo de casa y ganador de la vida.

3. El hombre debe tratar a la mujer como

_____ una persona igual.

_____ una esclava.

_____ una persona delicada.

4. Políticamente, en mi opinión, lo que debemos hacer es

_____ mejorar el sistema ferroviario.

_____ subvencionar más la educación pública.

_____ suministrar más fondos para el bienestar público.

5. En el mundo hispánico, debo

_____ tomar mi turno de pagar por todos mis amigos.

_____ pagar sólo por mis propios gastos.

_____ decir que no tengo dinero.

6. Cuando me invitan a cenar con una familia hispánica, debo

_____ preguntar si puedo traer algo para la cena.

_____ aceptar si puedo, sin ofrecer nada para la cena.

_____ traer algo para la cena, sin preguntar nada.

7. En el mundo hispánico, si enciendo un cigarrillo, debo

_____ ofrecérselos a todos mis amigos.

_____ fumar sólo la mitad.

_____ ofrecérselos sólo a los hombres.

8. En cuanto al progreso, debo poder

_____ perfeccionar mi habilidad de pensar lógicamente.

_____ aumentar la velocidad con que leo.

_____ reducir la tensión nerviosa por medio de mis meditaciones.

Focus: *deber* + infinitive

1. El respeto a la ley debería ser

_____ fundamental.

_____ opcional.

_____ coaccionado (forzado).

2. Los derechos civiles deberían ser

_____ aclarados.

_____ infinitos.

_____ limitados.

3. Hablando de abortos, el derecho a la vida de todo ser humano debe ser

_____ una ley inalterable.

_____ una cuestión discutible.

_____ un asunto abierto para el futuro.

4. La desobediencia civil, debemos considerarla

_____ un derecho.

_____ intolerable.

_____ justificable.

5. Cuando tengo dificultades, debería hablar más con

_____ mis padres.

_____ un consejero profesional.

_____ un mago.

6. La realidad de mi mundo personal debería ser más

_____ objetiva y concreta.

_____ subjetiva y abstracta.

_____ personal y humana.

Ejercicios: Según *X*, ¿cómo debería ser la realidad de su mundo personal primero?

¿Quién dice que la realidad . . . personal debería ser más _____ ?

X, ¿qué dice *Y*?

Z, de estas cosas, ¿cuál es su primera preferencia? (¿su segunda?)

Y, la realidad del mundo personal de *X* debería ser mas _____ .
¿Cierto o falso?

Focus: *deber de* + *ser* and *haber de* + *ser*
(should probably be and supposed to)

---

1. El amor ha de ser

_____ apasionado.

_____ discreto.

_____ feliz.

2. La desobediencia civil ha de ser

_____ un derecho.

_____ intolerada.

_____ justificada.

3. El sexo debe de ser

_____ secreto.

_____ sagrado.

_____ abierto.

4. El horario diario ha de incluir

_____ ejercicios físicos.

_____ mucha conversación amistosa.

_____ un período de meditación silenciosa.

5. Mis libertades civiles deben de ser

_____ garantizadas.

_____ aclaradas.

_____ respetadas.

6. La palabra *inmoralidad* debería de definirse en términos

_____ de la obscenidad.

_____ de los crímenes contra otros.

_____ del pecado religioso.

7. En el futuro, los hombres fabricados en probetas deberían de ser

_____ insensibles.

_____ inteligentes.

_____ inimaginables.

Ejercicios: ¿Qué dice *X* que el amor ha de ser primero?
¿Cuál es la segunda preferencia de *Y*? (¿la tercera?)
¿Quién dice que su última preferencia ha de ser _____?
X, ¿qué dice *Y* es su primera preferencia?
Z, de estas cosas, ¿cuál es su primera preferencia de usted?
Y, *X* dice que el amor ha de ser primero _____. ¿Cierto o falso?

Focus: phrases with *tener*

---

1. Tengo deseos de

    _____ buscar aventuras.

    _____ averiguar lo más obscuro de la mente humana.
    _____ dirigir mi vida por medio de la meditación trascendental.

2. Tengo mucha suerte en el asunto de

    _____ amor.

    _____ educación.

    _____ amistades.

3. Tengo poca paciencia con respecto a las personas que

    _____ explotan el sexo.

    _____ fuman en sitios públicos.

    _____ dicen falsedades.

4. A menudo tengo sueño porque

    _____ no duermo a pierna suelta.

    _____ soy un(a) sonámbulo(a) activo(a).

    _____ sueño con muchas pesadillas.

5. Mi amigo tiene prisa de

    _____ graduarse de la universidad.
    _____ hacerse rico.

    _____ hacerse el grande.

6. Tengo más confianza en

    _____ el gobierno.

    _____ la religión.

    _____ la educación.

7. Mi amigo(a) tiene más fe en

    _____ mí.

    _____ sus padres.

    _____ sí mismo(a).

8. La mayoría de mis problemas personales tienen que ver con

    _____ mis estudios.

    _____ mi familia.

    _____ mis amigos.

Ejercicios: ¿Por qué dice *X* que tiene sueño primero? (¿segundo?)
¿Cuál es la primera preferencia de *Y*?
¿Quién dice que tiene sueño primero porque _____?
Z, de estas cosas, ¿cuál es su primera preferencia?
Y, primero *X* tiene sueño porque _____. ¿Cierto o falso?

Focus: the verb *consistir* + the preposition *en*

---

1. Una gran parte del laberinto
   de mi mente consiste en

   _____ muchos instintos primitivos.

   _____ una conciencia de la
   realidad actual.

   _____ un conjunto de muchas
   impresiones absurdas.

2. La utopía que busco consiste en

   _____ dinero para todos.

   _____ alimentación para todos.

   _____ empleo para todos.

3. Creo que las emisiones televisivas
   consisten en

   _____ nutrir la mente más que
   nada.

   _____ embrutecer la mente más
   que nada.

   _____ divertir la mente más que
   nada.

4. Muchos sueños que tengo
   consisten en

   _____ monstruos.

   _____ ladrones.

   _____ distorciones.

5. La utopía en la que quiero
   vivir consiste en un mundo

   _____ sin problemas económicos.

   _____ sin sufrimientos físicos.

   _____ sin las estupideces de
   televisión.

6. Creo que el amor debe consistir
   en ser

   _____ apasionado.

   _____ discreto.

   _____ feliz.

Ejercicios: ¿En qué consisten muchos sueños de *X* primero? (¿segundo?)
¿Cuál es la primera preferencia de *Y*?
¿Quién dice que muchos sueños que tiene consisten en _____?
Z, de estas cosas, ¿cuál es la primera preferencia de usted?
Y, muchos sueños que tiene *X* consisten en _____. ¿Cierto o
falso?

Focus: *oponerse a* . . .

---

1. La cosa a que más me opongo es

   _____ la escuela.

   _____ la política.

   _____ el mundo comercial.

2. Me opongo más a las personas
   _____ que no se bañan.

   _____ que siempre hacen bromas
   dañinas.

   _____ beben demasiado.

3. Mis padres se oponen a

   _____ que yo deje mis estudios.

   _____ que yo sea un vagabundo.

_____ que yo gaste todo mi dinero en las fiestas.

4. Mi amigo(a) se opone a

_____ trabajar mucho.

_____ estar de acuerdo conmigo.

_____ gastar su dinero.

Focus: _tratar de_ + infinitive verb and _intentar_ + infinitive

---

1. Cuando enojado(a), trato de

_____ insultar a alguien.

_____ suprimir este sentimiento.

_____ entender el motivo.

2. En mis sueños trato de

_____ cazar leones en Africa.

_____ volar con los pájaros.

_____ subir las altas montañas.

3. En mi conducta diaria intento

_____ ser cordial.

_____ estar totalmente ocupado(a).

_____ ganar amigos e influir sobre la gente.

4. Cuando estoy enfadado(a) intento

_____ aislarme.

_____ hacer algo físico.

_____ gritar fuerte.

Ejercicios: ¿Qué trata X de hacer en sus sueños primero? (¿segundo?)
¿Quién trata de _____ primero?
X, ¿qué dice Y?
Z, de estas cosas, ¿qué trata de hacer usted primero?
Y, primero X trata de _____. ¿Cierto o falso?

Focus: certain verb phrases—_expresarse, basarse, tender a_

---

1. Mis fantasías se expresan más en

_____ mis sueños nocturnos.

_____ mis sueños despiertos.

_____ mis pensamientos conscientes.

2. Por lo común, tiendo a

_____ hablar demasiado.

_____ comer demasiado.

_____ dormir demasiado.

3. Mi personalidad se basa más en

_____ mi estatura física.

_____ mis ideas.

_____ mis temores y valores.

4. Mi seguridad se expresa más por medio de

_____ mis palabras.

_____ mis acciones.

_____ mi actitud.

Focus: fixed phrases, . . . *forma de* . . . or . . . *forma en* . . .

1. Gran número de distracciones en mi vida vienen en forma de

_____ las demandas de otros.

_____ mis propios deseos impulsivos.

_____ mi necesidad de no encontrarme solo(a).

2. La parte bestial de mi conducta toma forma en

_____ mis palabras.

_____ mis acciones.

_____ mis deseos inexpresados.

3. Un aspecto mediano de mi personalidad toma forma en

_____ mi habilidad de comunicarme con otros.

_____ mi potencial para inventar nuevos conceptos.

_____ mi conducta frente a otros.

4. Creo que mis fracasos de cada día ocurren en forma de

_____ mis palabras malentendidas.

_____ mi vacilación de tomar decisiones.

_____ mi falta de comprensión de ciertos asuntos.

Focus: preterite tense of *saber*

1. Muy temprano en mi vida supe que las drogas

_____ pueden ser peligrosas.

_____ son ilegales.

_____ son un reflejo de una crisis moral.

2. Supe la diferencia entre los sexos más o menos a los

_____ tres años.

_____ cinco años.

_____ ocho años.

3. Por fin mi mejor amigo(a) supo que

_____ valgo mucho.

_____ soy gracioso(a).

_____ puede confiar en mí.

4. Supe que mis padres desaprobaron cuando

_____ traté de llevarme unas galletas.

_____ me quité la ropa para correr desnudo(a).

_____ entré en la jaula para monos en el jardín zoológico.

5. Muy temprano en mi vida mis padres supieron que

_____ soy una persona seria.

_____ soy travieso(a).

_____ soy despreocupado(a).

6. Al comenzar este año escolar supimos que

_____ hay mucho trabajo que hacer.

_____ el/la profesor(a) es
bastante humano(a).

_____ los estudios son sosos.

7. Por medio de mi razonamiento,
supe primero que

_____ la tierra gira alrededor del
sol.

_____ la gravedad atrae cosas a la
tierra.

_____ los niños son diferentes a
las niñas.

Focus: preterite tense

1. Esta mañana me levanté

_____ con mucha energía.

_____ con preocupaciones.

_____ con cuerpo malo.

2. Un suceso muy importante en mi
vida fue cuando

_____ entré en la escuela
secundaria.

_____ salí por primera vez con
un(a) chico(a).

_____ probé mi primer cigarrillo.

3. Tuve vergüenza una vez cuando

_____ no me abroché mis
pantalones por completo.

_____ un(a) chico(a) me besó por
primera vez.

_____ alguien supo que no dije la
verdad.

4. En un ensueño, una vez pensé
que salí con

_____ una persona muy guapa.

_____ un gorila.

_____ un robot.

5. Hablando de la reincarnación, en una vida anterior creo que yo fui

_____ un animal de cuatro patas.

_____ un reptil muy inteligente.

_____ un caracol.

6. Esta mañana traté de

_____ organizar mi horario.

_____ olvidar mi horario.

_____ inventar otro horario.

7. La última vez que comí en un café dejé

_____ las migas de la comida.

_____ una propina buena.

_____ a la camarera con una sonrisa.

8. Una vez en un sueño soñé mucho con

_____ dragones y ladrones.

_____ personas misteriosas.

_____ volar y hacer cosas extraordinarias.

Ejercicios: Esta mañana, ¿qué trató de hacer X primero?
¿Quién dice que primero trató de _____?
X, de estas cosas, ¿qué tratamos de hacer primero?
Z, de estas cosas, ¿qué trató de hacer usted primero?
Y, primero X trató de _____. ¿Cierto o falso?

Focus: imperfect tense

1. Pensando en mi niñez, la mayoría de mis sueños

_____ me molestaban.

_____ me divertían.

_____ me eran maravillosos.

2. Antes yo insistía en

_____ categorizar las películas.

_____ la producción de películas sin ninguna categorización.

_____ limitarme el número de películas que veía.

3. En años anteriores, mis emociones dominaban sobre la razón en

_____ los asuntos de amor.

_____ la cuestión de obedecer las leyes.

_____ una discusión colérica.

4. Antes el aborto era

_____ injustificable.

_____ justificable.

_____ difícil de aceptar.

5. Antes, en mi conducta personal, prestaba más atención a mis deberes que

_____ a los chicos o a las chicas.

_____ a las noticias corrientes del mundo.

_____ a los problemas ecológicos.

6. Antes yo era más irresponsable en
el asunto de

_____ ahorrar dinero.

_____ mantener organizada mi vida.

_____ cumplir mis deberes.

Ejercicios: Antes, ¿en qué insistía *X* primero? (¿segundo?)
¿Quién dice que primero insistía en _____?
X, de estas cosas, ¿en qué insistíamos primero?
Z, de estas cosas, ¿en qué insistía usted primero?
Y, *X* insistía primero en _____. ¿Cierto o falso?

Focus: conditional tense of *gustar*

---

1. Me gustaría vivir en Colombia

_____ por un mes.

_____ por un año.

_____ por seis meses.

2. Me gustaría ir a la fiesta anual
del Rey

_____ en una carroza de calabaza.

_____ en un barco nuclear.

_____ en un par de patines.

3. Me gustaría eliminar del mundo

_____ toda la inmoralidad.

_____ la desobediencia a la
autoridad civil.
_____ toda la agresión.

4. Para veranear me gustaría ir

_____ a una zona montañosa.

_____ a un pueblo costeño.

_____ a una casa endemoniada.

Focus: present participle (. . . -*ndo*)

1. Paso la mayoría de mi tiempo

   _____ charlando con otros.

   _____ confeccionando cosas.

   _____ mirando cosas.

2. Prefiero pasar mucho tiempo

   _____ cultivando plantas.

   _____ practicando deportes.

   _____ leyendo libros.

3. Gasto muchas horas

   _____ planeando mi futuro.

   _____ arreglándome.

   _____ escuchando música.

4. Malgasto mi dinero

   _____ comprando cosas triviales.

   _____ haciendo viajes no esenciales.

   _____ comiendo fuera en los restaurantes.

5. Casi cada día sigo

   _____ creyendo en mis propias habilidades.

   _____ influyendo sobre otras personas.

   _____ proveyendo amistad a otros.

6. En el futuro voy a continuar

   _____ divirtiéndome en las discotecas.

   _____ leyendo muchos libros y revistas.

   _____ combatiendo muchos problemas sociales.

Focus: conditional tense

1. Yo preferiría pasar un año en Latinoamérica

   _____ con una familia hispana.

   _____ viajando continuamente.

   _____ solo(a), sin restricciones.

2. Al suponer que yo podría ir al Perú, preferiría vivir

   _____ con varios jóvenes.

   _____ con dos jóvenes.

   _____ solo(a).

3. Para acortar la relación con mi novio(a), lo haría

   _____ por teléfono.

   _____ por carta.

   _____ personalmente.

4. Siendo realista, yo pondría en duda los motivos de

   _____ las grandes corporaciones.

   _____ los diplomáticos internacionales.

   _____ los traficantes de drogas.

5. La materia que yo preferiría para el próximo semestre

_____ es la educación sexual.

_____ son las relaciones raciales.

_____ es la ecología.

6. Hoy día creo que el ser humano debería tener más

_____ fe en lo divino.

_____ conductas morales.

_____ imaginación creativa.

7. Si pudiera,

_____ influiría sobre muchas personas.

_____ cruzaría todo el país en motocicleta.

_____ tendría a varias personas trabajando para mí.

8. Como el "Padrino," yo

_____ tendría mucha compasión hacia mis socios.

_____ daría socorro a muchas caridades.

_____ haría muchas jugadas sucias.

Ejercicios: ¿Qué motivos pondría _X_ en duda primero?

¿Cuál es la tercera preferencia de _Y_? (¿la primera?)

¿Quién dice que primero pondría en duda los motivos de _____?

_X_, de estas cosas, ¿qué motivos pondríamos en duda primero?

_Z_, de estas cosas, ¿qué motivos pondría usted en duda primero?

_Y_, _X_ pondría en duda primero los motivos de _____. ¿Cierto o falso?

Focus: future perfect tense

1. Cuando tenga cuarenta años, creo que habré

_____ ganado mucho dinero.

_____ logrado una paz interior.

_____ vivido por un año en un país extranjero.

2. Cuando tenga treinta años, creo que habré

_____ realizado todos mis deseos.

_____ comprado una casa.

_____ inventado una cosa útil.

3. Para la próxima vez que vaya a una fiesta, ya habré

_____ pensado en cómo me portaré.

_____ invitado a un(a) amigo(a).

_____ gastado todo mi dinero.

4. En cuanto me haya hecho rico(a), habré

_____ aprendido muchas lecciones importantes en la vida.

_____ sufrido muchas dificultades.

_____ trabajado como un(a) esclavo(a).

Focus: "since" (*desde hace*) + time expression

1. Mi habilidad de razonar data desde hace

    _____ tenía tres años, más o menos.

    _____ tenía cinco años, más o menos.

    _____ tenía ocho años, más o menos.

2. El deseo que tengo de salir con chicos/chicas data desde hace

    _____ doce años, más o menos.

    _____ diez años, más o menos.

    _____ cinco años, más o menos.

3. El deseo que tengo de asistir a la universidad data desde hace más de

    _____ tres años.

    _____ cinco años.

    _____ ocho años.

4. Me porto con madurez desde hace

    _____ más de un año.

    _____ más de varios años.

    _____ sólo un momento.

Focus: direct object

1. Prefiero tener

    _____ dinero.

    _____ soledad.

    _____ amigos.

2. Deseo más

    _____ el ingenio.

    _____ la intuición.

    _____ el éxito.

3. Detesto

    _____ los insultos que otros me dicen.

    _____ las películas pornográficas.

    _____ los tratos impersonales que veo en la escuela.

4. Hoy día el ser humano necesita más

    _____ leyes.

    _____ convicciones personales.

    _____ tradiciones.

5. Prefiero la soledad completa

    _____ una vez todos los días.

    _____ una vez por semana.

    _____ una vez por mes.

6. Tengo deseos de desarrollar

    _____ la pasión.

    _____ la dignidad.

    _____ el entusiasmo.

7. Creo que mi amigo(a) debe eliminar de su vida

    _____ el sentimentalismo.

    _____ la deshonestidad.

    _____ la insinceridad.

8. Al encontrar a un mendigo,
prefiero

_____ darle dinero (o monedas).

_____ comprarle algún alimento.

_____ decirle una palabra
favorable.

Ejercicios: X, ¿qué detesta Y primero? (¿segundo? ¿tercero?)
Z, ¿cuál es la primera preferencia de Y? (¿la segunda?)
¿Quién dice que su primera preferencia es detestar _____?
Y, la primera preferencia de X es detestar _____. ¿Cierto o
falso?
Y, ¿detesta usted primero _____ o _____?

Focus: direct object pronoun

---

1. Me va a gustar el libro de
español cuando

_____ lo venda.

_____ lo pierda.

_____ lo lea.

2. Mis vecinos me

_____ agradan.

_____ molestan.

_____ toleran.

3. Cuando estudio, lo hago

_____ para aprender algo útil.

_____ para cumplir una tarea.

_____ para satisfacer las demandas
de otros.

4. La locura en este mundo absurdo,
la veo como

_____ una necesidad.

_____ un lujo.

_____ una degeneración.

5. Las fiestas, las celebramos porque

_____ nos falta el recreo.

_____ nos faltan las relaciones
sociales.

_____ somos extravertidos.

6. La paz interior, la necesito para

_____ ser mejor amigo(a) hacia
otros.

_____ tener éxito en mi trabajo.

_____ guardar la salud física.

7. Mis estudios

_____ me irritan.

_____ me ayudan.

_____ me matan.

8. Espero que pronto un(a) chico(a)
guapo(a)

_____ me guiñe.

_____ me salude.

_____ me reconozca.

Ejercicios: ¿Qué dice X de sus estudios primero? (¿segundo? ¿tercero?)
¿Quién dice que primero sus estudios _____?
X, ¿cuál es la primera preferencia de Y? (¿la segunda?)

Z, de estas cosas, ¿cuál es la última preferencia de usted?

Y, X dice que primero sus estudios _____. ¿Cierto o falso?

Focus: *que*-clause as direct object of main verb

---

1. Creo que

_____ cada uno crea su
propia moralidad.

_____ hay una ley divina.

_____ el amor libre debe ser
eliminado.

2. Creo que la amenaza más grande
del futuro cercano es

_____ la sobrepoblación.

_____ tener demasiado tiempo
libre.

_____ la criminalidad.

3. Creo que cometo muchos errores
en

_____ el amor.

_____ mis estudios.

_____ los deportes.

4. Hablando de conceptos absolutos,
digo que lo más absoluto es

_____ el pecado contra la ley
divina.

_____ la existencia del sol.

_____ la inmortalidad de mi alma.

5. Calculo que el aborto es

_____ un asesinato imperdonable.

_____ un derecho de cada mujer
individual.

_____ una cuestión difícil de
resolver.

6. Considero que el odio apasionado
es

_____ una enfermedad mental.

_____ un sentimiento fuerte.

_____ imperdonable.

Ejercicios: ¿Qué cree X primero? (¿segundo? ¿tercero?)

¿Cuál es la primera preferencia de Y?

¿Quién dice que primero cree que _____?

X, ¿qué dice Y?

Z, de estas cosas, ¿cuál es la primera preferencia de usted?

Y, la primera (última) preferencia de X es creer que _____.
¿Cierto o falso?

Y, ¿primero cree usted que _____ o que _____?

Focus: indirect object pronoun

---

1. Lo que le ofrece a mi amigo(a)
más diversión en la vida

_____ son los deportes.

_____ son los cines.

_____ es el alcohol.

2. Lo que nos produce más problemas
sociales en la comunidad

_____ es la criminalidad.

_____ es la tensión.

_____ son las drogas y el alcohol.

3. Lo que me trae más gozo en mi vida es

_____ pensar en otros.

_____ pensar en mí mismo(a).

_____ pensar en ideas.

4. Lo que me produce menos tristeza en mi vida son

_____ las discusiones con mis amigos.

_____ las discusiones con mis padres.

_____ los errores que cometo.

Ejercicios: ¿Qué le trae más gozo a *X* primero?

¿Cuál es la primera preferencia de *Y*? (¿la segunda?)

¿Quién dice que primero lo que le trae . . . es pensar en _____?

Z, de estas cosas, ¿qué le trae . . . vida primero?

Y, lo que le trae a *X* más gozo es pensar en _____. ¿Cierto o falso?

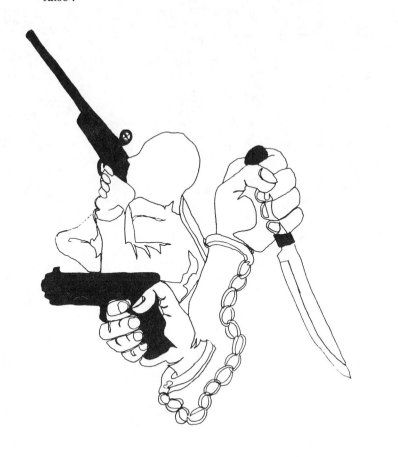

Focus: indirect object pronoun

1. Me es importante

   _____ viajar por un país extranjero.

   _____ trabajar a jornada parcial.

   _____ hacer ejercicios para fortificar mi cuerpo.

2. Me es importante

   _____ poder leer rápido.

   _____ poder escribir buenas cartas.

   _____ poder conversar bien.

3. Me es esencial

   _____ tocar un instrumento musical.

   _____ hacer deportes.

   _____ aprender a manejar coche.

4. Lo que le produce a mi padre más curiosidad

   _____ es la religión.

   _____ es el trabajo.

   _____ son los deportes.

5. Lo que le tiene más importancia a mi madre es

   _____ la mujer americana.

   _____ la política.

   _____ la educación formal.

6. Me es más esencial

   _____ saber cocinar.

   _____ saber disparar un arma.

   _____ saber reparar un motor.

7. Me encantan

   _____ las sorpresas.

   _____ los regalos.

   _____ los chistes.

8. Me fascina

   _____ la música moderna.

   _____ la música sinfónica.

   _____ la música folklórica.

9. Las obligaciones sociales de la cortesía me son

   _____ innecesarias.

   _____ esenciales.

   _____ inadecuadas.

10. Lo que me produce más enojo es

   _____ cuando el profesor me causa vergüenza ante mis amigos.

   _____ cuando mis amigos me menosprecian y me dejan fuera de sus actividades.

   _____ cuando mis padres no me tienen confianza.

Focus: reflexive pronoun + verb

1. Me siento mejor cuando me levanto

   _____ a las seis.

   _____ a las ocho.

   _____ a las diez.

2. Me relajo más cuando me siento en

   _____ el suelo.

   _____ una silla dura.

   _____ un sillón.

3. Mis padres se preocupan más cuando me atrevo a

   _____ manejar el coche a toda velocidad.

   _____ montar una motocicleta.

   _____ experimentar con drogas.

4. Me quejo más de

   _____ los impuestos.

   _____ la calidad de educación en las escuelas.

   _____ los reglamentos municipales.

5. Me pregunto más si

   _____ los perros pueden razonar.

   _____ hay seres vivientes en otros planetas.

   _____ el hombre puede eliminar sus prejuicios.

6. Para protegerme contra las absurdidades de la sociedad

   _____ me declaro en huelga.

   _____ me retiro a un sitio secreto.

   _____ me vuelvo loco(a).

7. Me acuerdo más de los sucesos

   _____ horripilantes.

   _____ humorescos.

   _____ trágicos.

8. Me retiro más de situaciones

   _____ argumentativas.

   _____ amorosas.

   _____ peligrosas.

Ejercicios: ¿Cuándo se relaja *X* más primero?

¿Quién dice que primero se relaja más cuando se sienta en _____?

X, ¿qué dice *Y*?

X, de estas cosas, ¿cuándo nos relajamos más primero?

Z, de estas cosas, ¿cuándo se relaja más usted primero?

Y, primero *X* se relaja más cuando se sienta en _____. ¿Cierto o falso?

Focus: *por* and *para*

1. Sigo mi conciencia para

   _____ expresar mi libertad.

   _____ mantener mi dignidad.

   _____ encontrar la felicidad.

2. Una persona mantiene su dignidad por

   _____ ser honesta.

   _____ seguir su propia conciencia.

   _____ educarse.

3. Me preocupo más por

   _____ el mundo.

   _____ la bolsa nacional de valores.

   _____ el trabajo de mi amigo(a).

4. Mi dignidad me es esencial

   _____ para poder lograr mi capacidad intelectual.

   _____ para tratar a los demás con respeto.

   _____ para cumplir mis obligaciones.

5. Me gustaría vivir en Sudamérica

   _____ por un mes.

   _____ por seis meses.

   _____ por un año.

6. Las personas nutridas por la televisión

   _____ están encerradas en un mundo falso.

   _____ son menos educadas que los demás.

   _____ están atontadas con las mentes dañadas.

7. Creo que la expresión del enojo por palabras insultantes es

   _____ necesaria.

   _____ inhumana.

   _____ justificada.

8. Para mí la luna simboliza

   _____ la muerte.

   _____ el amor.

   _____ la locura.

9. Creo que mis sueños ocurren

   _____ para advertirme del futuro.

   _____ para hacerme recordar el pasado.

   _____ para divertirme en la noche.

10. Para mí el comerciante mediano es

    _____ responsable.

    _____ tacaño.

    _____ agradable.

Focus: pronoun object of preposition *para*

1. Lo que es más importante para mí es

    _____ ir a la boda de mi mejor amigo(a).
    _____ visitar a un(a) conocido(a) en el hospital.
    _____ despedirme de mi madre en el aeropuerto.

2. En mi opinión, lo que es más esencial para nosotros ahora es

    _____ viajar por unos países extranjeros.
    _____ trabajar en un empleo de jornada parcial.
    _____ ejercer para reforzar el cuerpo.

3. Hablando de mi amigo, lo que es importante para él es

    _____ saber tocar un instrumento musical.
    _____ saber participar en los deportes.
    _____ saber manejar un coche.

4. En cuanto a mi amiga, lo que es conveniente para ella es

    _____ saber cocinar.
    _____ saber disparar una pistola.
    _____ saber bailar bien.

5. Para mí la razón de mi existencia

    _____ es la revolución y los cambios sociales.
    _____ son las fiestas y la diversión.
    _____ son las ideas y la imaginación que tengo.

6. En cuanto a mi profesor(a), para él/ella es muy difícil de localizar

    _____ su sensatez.
    _____ sus calcetines.
    _____ su dirección.

Ejercicios: ¿Cuál es lo más importante para *X* primero?
¿Cuál es la primera preferencia de *Y*?
¿Quién dice que primero lo que es más importante para él/ella es _____ ?
X, de estas cosas, ¿cuál es la primera preferencia de usted?
Y, lo que es más importante para *X* primero es _____. ¿Cierto o falso?

Focus: definite article + *de*-phrase acting as a noun (predicate nominative with *ser*)

1. La sección del periódico que leo más es la

   _____ del primer plano.

   _____ de los dibujos cómicos.

   _____ de los editoriales.

2. Si yo tuviera que sufrir una muerte mañana, quisiera que fuera

   _____ la de mi padre o madre.

   _____ la de mi mejor amigo(a).

   _____ la mía.

3. La condición que desprecio más es la de ser

   _____ ignorante.

   _____ perezoso(a).

   _____ sucio(a).

4. Si pudiera, el sitio donde preferiría vivir es el

   _____ del bosque.

   _____ del desierto.

   _____ de la costa.

5. Los programas de televisión que me gusta mirar son

   _____ los de las noticias.

   _____ los de juegos y premios.

   _____ los de telenovelas de amor.

6. Los sueños que prefiero son

   _____ los de mis amores.

   _____ los de mis escapes del coco.

   _____ los de mis vagabundeos.

Ejercicios: ¿Qué dice X de los sueños primero? (¿segundo?)
¿Cuál es la primera preferencia de Y?
Primero, ¿qué sueños prefiere Y? (¿tercero?)
Z, de estas cosas, ¿cuál es la primera preferencia de usted?
Y, X dice que los sueños . . . son primero _____. ¿Cierto o falso?

Focus: preposition + definite article + *cual/cuales* together with antecedent noun

1. El valor tradicional en el cual creo más es

   _____ la fe religiosa.

   _____ la felicidad en el matrimonio.

   _____ el respeto hacia los padres.

2. El asunto en el cual pienso más es

   _____ la política.

   _____ la mujer americana.

   _____ la educación.

3. Las cualidades por las cuales trato de guiar mi vida son

   _____ la sinceridad y la puntualidad.

_____ la honestidad y la
generosidad.
_____ la dedicación y la
curiosidad.

4. La preocupación por la cual
arreglo mi vida diaria es

_____ donde voy a comer.

_____ donde voy a ganar dinero.

_____ donde voy a dormir.

5. La persona en la cual tengo
más confianza es

_____ mi amigo(a).

_____ mi profesor(a).

_____ mi padre o madre.

6. La razón por la cual sigo
estudiando es para

_____ divertirme.

_____ entrenarme.

_____ salvarme.

7. Una característica de la cual
dependo mucho es

_____ la ambición.

_____ la madurez.

_____ la paciencia.

8. La razón por la cual sigo
viviendo

_____ es ganar las amistades.

_____ es ganar la fama.

_____ es gozar de los vicios.

Ejercicios: ¿Qué dice _X_ es su primera razón por la cual sigue viviendo?
¿Cuál es la segunda razón por la cual sigue _Y_ viviendo?
¿Quién dice que primero la razón por la cual sigue viviendo es
_____?
_X_, ¿cuál es la segunda preferencia de _Y_?
_Z_, de estas cosas, ¿cuál es la primera preferencia de usted?
_Y_, _X_ dice que primero la razón . . . es _____. ¿Cierto o falso?

Focus: adjective clause with _que_

---

1. Tengo la actitud de que el
trabajo es algo que

_____ no vale la pena.

_____ me gana la vida.

_____ me ayuda a ser útil.

2. Me parece increíble el
ambiente que existe

_____ en mis estudios y clases.

_____ en mi vida social.

_____ en mis relaciones de familia.

3. La cualidad que más me parece
importante es

_____ la generosidad.

_____ la puntualidad.

_____ la sinceridad.

4. La persona que me da más
satisfacción en la vida es

_____ mi madre/padre.

_____ mi hermano(a).

_____ mi novio(a).

5. La ambición es una cualidad que considero

_____ poco importante.

_____ muy importante.

_____ secundaria.

6. Los programas de televisión que más miro son

_____ las noticias.

_____ las telenovelas de amor.

_____ los documentales.

7. La curiosidad es la cualidad que

_____ me da mucho placer.

_____ considero indispensable.

_____ produce muchos problemas.

8. La cosa que me da menos satisfacción en la vida

_____ es el cine.

_____ es la religión.

_____ son los estudios formales.

Ejercicios: Según _X_, ¿qué es la ambición primero?
¿Cuál es la primera preferencia de _Y_?
¿Quién dice que primero la ambición es _____?
_X_, de estas cosas, para usted, ¿qué es la ambición primero?
_Z_, de estas cosas, ¿cuál es la primera preferencia de usted?
_Y_, _X_ dice que primero la ambición es _____. ¿Cierto o falso?

Focus: subjunctive mood after fixed adverbial phrase
antes de que **or** _antes que_

---

1. Antes de que me acueste esta noche, deseo

_____ hacer una amistad más.

_____ terminar mis asignaciones.

_____ divertirme mucho.

2. Antes de que me muera, quiero

_____ entender el sentido de la vida.

_____ viajar por el mundo.

_____ hacer una invención, grande o pequeña.

3. Quiero tener más éxito en mi vida antes de que tenga

_____ treinta años.

_____ cuarenta años.

_____ sesenta años.

4. Antes de que me gradúe de la escuela, tengo ganas de

_____ hacer varias clases electivas más.

_____ ingresar en un club social.

_____ escribir un papel capaz de ser publicado.

5. Quiero casarme posiblemente antes de que tenga

_____ veinte años.

_____ veinticinco años.

_____ treinta años.

6. Antes de que tenga treinta años, quiero

_____ viajar por el mundo.

_____ escribir un libro.

_____ inventar algo científico.

7. Antes de que terminemos esta clase, quiero

_____ entender la asignación para mañana.

_____ comprender esta lección.

_____ fijar una cita con algún chico/alguna chica.

8. Sería conveniente practicar la meditación trascendental antes que

_____ terminara este mes.

_____ saliera de la escuela.

_____ tuviera treinta años.

Focus: subjunctive after *gusta que, ofende que, importa que, para que* . . .

---

1. No me gusta que

_____ abran más librerías pornográficas.
_____ suban los impuestos.

_____ mi representante en el congreso no se ponga en contacto con sus constituyentes.

2. No me gusta que otros digan

_____ obscenidades.

_____ mentiras.

_____ que su vida es la mejor.

3. No me ofende que

_____ haya políticos malos.

_____ la educación tenga defectos serios.
_____ otros digan que soy tonto(a).

4. No me importa que

_____ exista la desobediencia civil dentro de nuestra sociedad.
_____ mis derechos civiles sean limitados un poco.
_____ las leyes no sean respetadas en su totalidad.

5. Lo impulsivo de mi carácter no me ha permitido que

_____ sea una persona netamente libre.
_____ tenga todas las amistades que quiera.
_____ considere todos los resultados de mis acciones.

6. Se nos da la libertad para que

_____ expresemos la conciencia.

_____ mantengamos la dignidad.

_____ encontremos la felicidad.

7. No me gusta que

_____ otros me dirijan la vida.

_____ haya hipócritas en posiciones de autoridad.
_____ se cometan actos de inmoralidad y obscenidad en nuestra sociedad.

8. Me gusta que mis libertades civiles sean

_____ garantizadas.

_____ aclaradas.

_____ respetadas.

Ejercicios: ¿Qué no le gusta a *X* que digan otros primero?

¿A quién no le gusta primero que otros digan _____. (¿segundo?)

X, ¿qué dice *Y*?

Z, de estas cosas, ¿qué no le gusta a Ud. primero que digan otros?

Y, a *X* no le gusta que primero otros digan _____. ¿Cierto o falso?

Focus: subjunctive governed by *para que*

---

1. Para que mi vida sea sana, un elemento indispensable es

   _____ el amor.

   _____ el trabajo.

   _____ la amistad.

2. Para que mi vida sea buena, el amor más indispensable es

   _____ el caritativo.

   _____ el físico.

   _____ el familiar.

3. Algún día, se me va a mandar en un gran viaje para que

   _____ sea más culto(a).

   _____ me aleje de esta sociedad.

   _____ conozca otras culturas.

4. Se crea la música para que

   _____ gocemos de una paz interior.

   _____ estemos más alerta.

   _____ experimentemos este medio cuánto podamos.

Focus: past subjunctive governed by the phrase *como si* (as if)

---

1. Muchos norteamericanos en Sudamérica actúan como si

   _____ fueran los dueños de la tierra.

   _____ tuvieran gran interés en saber más de otros pueblos.

   _____ quisieran ser amigos de los latinoamericanos.

2. A veces estudio como si

   _____ me graduase mañana.

   _____ me quedase mucho tiempo más.

   _____ fuese el/la mejor estudiante de todos.

3. A veces me comporto como si

   _____ toda la vida fuese un mito.

   _____ lo supiese todo.

   _____ esperase realizar mucho éxito.

4. Mis amigos me tratan como si

   _____ yo fuese ignorante.

   _____ yo tuviese mucho conocimiento práctico.

   _____ yo pudiese quitarles muchos problemas.

Focus: past subjunctive in *que*-clause governed by impersonal phrase

1. Desde mi punto de vista, antes era esencial que yo

   _____ respetase los derechos de otros.
   _____ aprendiese cuánto pudiera.

   _____ fuese honesto(a).

2. Desde mi punto de vista, era importante que yo

   _____ no me metiera en los asuntos de otros.
   _____ me comunicara abiertamente con otros.
   _____ no tratara de imponer mis valores en otros.

3. Era más importante que yo

   _____ asistiese a la boda de mi mejor amigo(a).
   _____ visitase a un(a) conocido(a) que estuviese en el hospital.
   _____ me despidiese de mi madre en el aeropuerto.

4. Era dudoso que

   _____ mi amigo(a) me mintiese.
   _____ mi amigo(a) saliese de citas más que yo.
   _____ mi amigo(a) sacase mejores notas que yo.

5. En mi opinión, era fácil que

   _____ el presidente no dijese la verdad.
   _____ el presidente no supiese lo que hacían sus consejeros.
   _____ fuésemos una nación de ovejas.

6. Hablando de crímenes, sería mejor que tratásemos de eliminar

   _____ las estafas.

   _____ los robos.

   _____ los atracos.

Ejercicios: Hablando de crímenes, según X, ¿qué sería mejor primero?
   ¿Cuál es la primera preferencia de Y?
   ¿Quién dice que primero sería mejor que _____?
   Z, de estas cosas, según usted, ¿qué sería mejor primero?
   Y, X dice que primero sería mejor que _____. ¿Cierto o falso?

Focus: past subjunctive in conjunction with past tense of indicative mood

1. De niño(a), lo impulsivo de mi carácter no permitía

   _____ que fuera una persona totalmente libre.
   _____ que realizara todo mi potencial.

   _____ considerara todas mis opciones.

2. De niño(a), mi conciencia me aconsejaba que

   _____ no cometiese estupideces.

_____ siempre dijese la verdad a todo costo.

_____ me comportase según el juicio del momento.

3. De niño(a), no me importaba que

_____ hubiera monstruos en mis sueños.

_____ viviera en un mundo surrealista.

_____ tuviera que matar los dragones de este mundo.

4. Antes, muchas veces quería que mis padres

_____ tuviesen más confianza en mí.

_____ me diesen más dinero para mis gastos.

_____ se riesen más conmigo.

5. De adolescente, mis padres no consentían que

_____ yo fuese a muchas fiestas.

_____ saliese mucho de noche durante la entresemana.

_____ gastase mis ahorros por cosas triviales.

6. En tiempos pasados, no me invitaban mucho a que

_____ fuese socio de los clubes.

_____ participase en los partidos deportivos.

_____ viajase a larga distancia.

Ejercicios: De niño(a), ¿qué no le importaba primero?

¿Cuál es la primera preferencia de _Y_?

¿Quién dice que primero no le importaba que _____?

_Z_, de estas cosas, ¿qué no le importaba a usted tercero?

_Y_, a _X_ no le importaba que _____. ¿Cierto o falso?

Focus: past subjunctive in conjunction with conditional tense

---

1. Desde mi punto de vista, sería mejor que yo

_____ tuviera un empleo que me ganara mucho dinero.

_____ pudiera pasar la vida sin mayores preocupaciones.

_____ me casara con una persona franca.

2. En mi opinión, sería bueno que

_____ todo el mundo creyera que Dios está muerto.

_____ alguien me diera cien dólares.

_____ yo pudiera tener la inmortalidad.

3. Creo que sería bueno que cada individuo

_____ determinase su propia conducta.

_____ distinguiese entre el bien y el mal.

_____ no cometiese ninguna injusticia.

4. Creo que no debería permitir que

_____ otros tuviesen menos derechos que yo.

_____ se me robase.

_____ mi mejor amigo(a) sufriese ninguna depresión mental.

5. En mi opinión, sería mejor que los niños

_____ no imitasen a los personajes ficticios de la televisión.

_____ no mirasen los programas de la televisión.

_____ olvidasen lo que ven por la televisión.

6. Para mí sería conveniente que mi mundo actual fuera más

_____ concreto y objetivo.

_____ abstracto y subjetivo.

_____ personal y humanista.

7. Creo que sería dudoso que

_____ consiguiera un buen trabajo este verano.

_____ controlara mi enojo todo el tiempo.

_____ me casara con una persona ideal.

8. Me convendría más si

_____ sobresaliese en mis estudios.

_____ meditase más en silencio.

_____ no denunciase a nadie.

Focus: hypothetical situation (contrary to fact or reality)

1. Si pudiera, sería

_____ rico(a).

_____ guapo(a).

_____ atlético(a).

2. Si pudiera, me gustaría ser

_____ un(a) cuentista interesante.

_____ un diplomático internacional.

_____ un(a) romántico(a).

3. Si pudiera, iría a

_____ Grecia.

_____ Japón.

_____ Suecia.

4. Si pudiera, crearía

_____ una revolución política.

_____ una nueva fórmula científica.

_____ un poema hermoso.

5. Si pudiera, tendría

_____ una varita mágica.

_____ una bola mágica de cristal.

_____ una alfombra voladora.

6. Si pudiera, me gustaría apoyar a mis prójimos con

_____ consuelo.

_____ lo material.

_____ el optimismo.

7. Si pudiera, yo eliminaría

_____ los chismes.

_____ la escualidez.

_____ las estafas.

8. Si pudiera, sería

_____ un(a) clarividente.

_____ un(a) inventor(a).

_____ un(a) representante en el Congreso.

Ejercicios: Si pudiera, ¿qué crearía *X* primero? (¿segundo? ¿tercero?)
¿Quién dice que si pudiera, primero crearía _____?
X, de estas cosas, ¿qué crearíamos primero, si pudiéramos?
Z, de estas cosas, si pudiera, ¿qué crearía usted primero? (¿tercero?)
Y, si pudiera, *X* crearía primero _____. ¿Cierto o falso?

Focus: hypothetical situation (contrary to fact or reality)

---

1. Si yo inventara un monstruo, resultaría muy

   _____ cómico.

   _____ feo.

   _____ estúpido.

2. Si se suprimieran todas las escenas de violencia de televisión,

   _____ los niños serían mejor servidos.
   _____ habría más crimen, vicio y perversidad en las calles.
   _____ menos niños se ocuparían mirando la televisión.

3. Si tuviera una varita mágica, me gustaría

   _____ ser un cantante y producir muchos discos.
   _____ inventar una máquina para eliminar mucho trabajo.
   _____ viajar extensivamente por Europa.

4. Si yo tuviera que dejar una de mis libertades, sería

   _____ la libertad de expresión.

   _____ la libertad religiosa.

   _____ la libertad política.

5. Si yo estuviera aislado(a) en una isla, me gustaría tener

   _____ la novela de Don Quijote.

   _____ la Biblia.

   _____ la historia de la civilización.

6. Si yo pudiera vivir con una familia española, preferiría

   _____ una familia con muchos niños.
   _____ un matrimonio joven sin niños.
   _____ una pareja vieja interesante.

Ejercicios: Si *X* inventara un monstruo, ¿cómo resultaría primero? (¿segundo?)
¿Cuál es la primera preferencia de *Y*?
¿Quién dice que si . . . monstruo, primero resultaría _____?
Z, de estas cosas, ¿cómo resultaría su monstruo primero?
Y, si *X* inventara un monstruo, primero resultaría _____.
¿Cierto o falso?

Focus: imperfect subjunctive in independent clause in
querer, poder, deber, **and** *haber*

1. Yo quisiera mantener el valor tradicional

   _____ del respeto hacia los padres.

   _____ de la fidelidad en el matrimonio.

   _____ de la fe religiosa.

2. Yo pudiera tener mucho éxito por

   _____ prestar más atención en mis estudios.

   _____ aprender a comunicarme mejor.

   _____ conocer a ciertas personas claves.

3. Para el beneficio del individuo, debiéramos eliminar

   _____ el café.

   _____ la aspirina.

   _____ el alcohol.

4. En mi niñez, yo pudiera haber

   _____ leído más que leí.

   _____ sido menos travieso(a) que fui.

   _____ cometido menos errores que cometí.

5. Hubiera más oportunidades en mi vida, si

   _____ yo hubiera aprendido más.

   _____ otros me hubieran tratado mejor.

   _____ yo hubiera vivido en otro lugar.

6. Yo debiera tratar a mis conocidos con más

   _____ respeto.

   _____ sinceridad.

   _____ humor.

7. De estudiante, yo quisiera

   _____ hablar más profundo con el profesor.

   _____ tener más alternativas en mis cursos.

   _____ asistir a clases más pequeñas.

8. Antes, yo debiera haber

   _____ estudiado más.

   _____ practicado más deportes.

   _____ guardado más la lengua.

Ejercicios: ¿Qué debiera haber hecho X más primero?

¿Cuál es la primera preferencia de Y?

¿Quién dice que primero debiera haber _____?

X, de estas cosas, ¿qué debiéramos haber hecho primero?

Z, de estas cosas, ¿qué debiera haber hecho usted primero?

Y, X dice que primero debiera haber _____. ¿Cierto o falso?

Focus: comparison of equal amounts, *tan(to)* . . . *como* . . .

1. Soy tan valiente como

   _____ un cobarde.

   _____ un plato de fideos.

   _____ mi mejor amigo(a).

2. Creo que la censura es tan perniciosa como

   _____ las drogas.

   _____ las mentiras.

   _____ el chantaje.

3. Soy tan comprensivo(a) del problema del aborto como

   _____ mis amigos.

   _____ mis padres.

   _____ mis profesores.

4. Tengo tantas ganas de sobresalir como

   _____ un político.

   _____ mis padres.

   _____ cualquier otra persona.

5. Estoy tan cansado(a) de estudiar como de

   _____ salir con mis amigos.

   _____ mirar la televisión.

   _____ escribir papeles.

6. Creo que puedo analizar los problemas de la vida tan bien como

   _____ los ministros religiosos.

   _____ los consejeros profesionales.

   _____ mis amigos.

7. Creo que el Día de las Brujas es tan esencial como

   _____ la Navidad.

   _____ el Día de las Bromas.

   _____ el Día de la Independencia.

8. Sufro tantos problemas como

   _____ mis amigos.

   _____ los pobres.

   _____ los otros dotados de mucho talento.

Ejercicios: Según *X*, él/ella primero es tan valiente como ¿qué cosa?
   ¿Cuál es la primera preferencia de *Y*?
   X, ¿cómo somos nosotros primero?
   Z, ¿cómo es usted primero? (¿segundo?)
   Y, *X* es primero tan valiente como _____. ¿Cierto o falso?

Focus: comparison of equal amounts, *tan(to)* . . . *como* . . .

1. Tengo tanta inteligencia como

   _____ dinero.

   _____ paciencia.

   _____ prudencia.

2. Soy tan paciente como

   _____ un gato.

_____ mis padres.

_____ mi madre.

_____ mis amigos.

_____ mis profesoras.

3. Tengo tanto valor como

_____ un ratón.

_____ mis amigos.

_____ Tarzán.

4. Soy tan astuto(a) como

_____ un zorro.

_____ un perro.

_____ una roca.

5. Soy tan partidario(a) del movimiento femenil como

_____ mi mejor amiga.

6. El aborto es tan repugnante como

_____ la creación de seres humanos por medio de probetas.

_____ la eutanasia.

_____ la vivasección.

7. Me gusta estudiar tanto como

_____ ir al dentista.

_____ morirme de hambre.

_____ trabajar en las minas de sal en Siberia.

Ejercicios: ¿Qué dice X primero de ser paciente?
¿Cuál es la primera preferencia de Y? (¿la segunda?)
¿Quién dice que primero es tan paciente como _____?
X, de estas cosas, ¿cómo somos nosotros primero? (¿tercero?)
Z, de estas cosas, ¿cómo es usted primero?
Y, X dice que primero es tan paciente como _____. ¿Cierto o falso?

Focus: _vale más_

---

1. En mi opinión vale más

_____ jugar a las cartas.

_____ charlar con amigos.

_____ tocar discos.

2. En mi opinión vale más

_____ olvidar mis errores.

_____ recordar mis problemas.

_____ considerar mis opciones.

3. En mi opinión lo que vale más es

_____ el Día de las Brujas (el 31 de octubre).

_____ el Día de las Bromas (el 1 de abril).

_____ mi cumpleaños (el _____ de _____).

4. En mi opinión el día que vale más es

_____ el Día de las Gracias.

_____ el Día de la Independencia.

_____ La Navidad.

5. Creo que vale más

_____ pensar en otros.

_____ pensar en mí mismo(a).

_____ pensar en ideas.

6. Creo que vale más hacerle caso a

_____ mi madre.

_____ mi amigo(a).

_____ mi profe.

Ejercicios: Según *X*, ¿qué vale más?
¿Cuál es la primera preferencia de *Y*?
¿Quién dice que vale más _____?
X, ¿qué dice *Y* de su segunda preferencia?
Z, de estas cosas, ¿cuál es la primera preferencia de usted?
Y, *X* dice primero que vale más _____. ¿Cierto o falso?

Focus: comparison of unequal amounts, *más*(*menos*) *que*

---

1. En los fines de semana, lo que prefiero hacer más que nada es

   _____ dormir todo el día.

   _____ besar y jugar con mi perro.

   _____ nadar en un lago.

2. Hoy lo que quiero hacer más que estudiar es

   _____ practicar un instrumento musical.

   _____ descansar.

   _____ coser.

3. Me gusta una fiesta menos que

   _____ un partido de fútbol.

   _____ un concierto.

   _____ un baile.

4. Cuando tengo hambre, prefiero comer pan seco más que

   _____ carne de elefante.

   _____ legumbres.

   _____ peces vivos.

5. Por televisión me gusta ver los programas de variedades más que los de

   _____ noticias.

   _____ juegos.

   _____ aventuras.

6. Leo menos que

   _____ escucho la música.

   _____ el tiempo que paso charlando con amigos.

   _____ juego a las cartas.

7. A mí me gusta nadar más que

   _____ comer.

   _____ esquiar.

   _____ bailar.

8. Soy más inteligente que

   _____ guapo(a).

   _____ aplicado(a).

   _____ generoso(a).

Ejercicios: Primero, ¿qué hace *X* más que lee?
¿Cuál es la primera preferencia de *Y*?
¿Quién dice que primero lee menos que _____?

Z, de estas cosas, ¿cuál es la primera preferencia de usted?

Y, primero X lee menos que _____. ¿Cierto o falso?

Focus: comparison of unequal amounts, *más* (*menos*) . . . *que*

---

1. Tengo más fe que

   _____ compasión.

   _____ pasión.

   _____ inspiración.

2. Mi ambición es más intensa que

   _____ mi habilidad.

   _____ mi dedicación.

   _____ mi conocimiento.

3. A mi parecer, el trabajo es más esencial que

   _____ el amor.

   _____ la religión.

   _____ la relajación.

4. Tengo más suerte que

   _____ mi padre.

   _____ mi mejor amigo(a).

   _____ la mayoría de los esquimales.

5. La vida no es nada más que

   _____ un compromiso.

   _____ un placer.

   _____ una lucha.

6. Estoy menos despierto(a) ahora que

   _____ ayer por la tarde.

   _____ anoche.

   _____ más temprano hoy.

Ejercicios: Primero, según X, tiene más fe que ¿qué cosa?

¿Cuál es la primera preferencia de Y?

¿Quién dice que primero tiene más fe que _____?

Z, de estas cosas, primero, usted tiene más fe que ¿qué cosa?

Y, X dice que primero tiene más fe que _____. ¿Cierto o falso?

Focus: superlatives—article + *más* (*menos*) + adjective

Creo que de las tres cualidades, _____ es el/la más importante.
Creo que de las tres cualidades, _____ es el/la menos esencial.

la generosidad	la caridad	el ser cuidadoso
la inteligencia	la percepción	el ser respetuoso
la capacidad	la sensibilidad	el ser bueno
la sinceridad	la autoridad	la gratitud
la honestidad	el carácter	el amor
la firmeza	la flexibilidad	la vivacidad
la ambición	la popularidad	la prudencia
la imaginación	la elegancia	la paciencia
la obediencia	la dignidad	la obediencia
la curiosidad	la prosperidad	la cortesía
la inteligencia	la confianza	la claridad
la creatividad	el talento	la personalidad
el interés	el encanto	la diligencia
el pensar	el valor	el valor
la generosidad	la visión	la audacia
el ser motivado	el juicio	la creatividad
el ser sincero	la madurez	la ambición
el ser dedicado	el entusiasmo	la felicidad
la puntualidad	la cortesía	la pureza
la franqueza	la fuerza	la comprensión
la humildad	la belleza	la sabiduría

INTERVIEW MODEL

As in any regular interview, there are two people: the interviewer and the person being interviewed. You will separate into pairs to interview each other, using the language structure incorporated into the interview material.

This model has three main components: (1) a column of five questions the interviewer asks, (2) a corresponding set of five open sentences to be used for verbal responses by the person being interviewed, and (3) a third set of open sentences the interviewer uses to record the verbal responses.

IMPLEMENTATION

The interview is carried out in two phases: the interview session in which the pairs of students interview each other and the follow-up activity in which your teacher asks questions and guides you through a practical conversation. The written answers in column three are essential for the follow-up activity. After the ten-minute interviewing session, your teacher will bring you back to a whole-class situation and begin asking you individually specific questions about the answers you wrote down during your interview.

Student A will interview student B and record B's answers. Then B will do the same with A. In this manner each of you will have a set of written answers (a mini-lesson) for another person in the class. The mini-lesson is recorded in the third column of the interview model and will be used as reference material during the follow-up activity of phase two.

After the interview session, your teacher will begin phase two. The first question your teacher will ask is always constant. It corresponds to the first interview question that is a permanent feature of the interview model (i.e., What's your name?). The teacher's first question will be: X, what is the name of the person you interviewed? (X, ¿cómo se llama la persona que Ud. entrevistó?). To answer, student X may refer to column three to remember the name of the student whom he or she interviewed. Similarly, X may refer to the third column of the interview material to answer the other specific questions your teacher may ask.

At times it will become necessary for your teacher to clarify new vocabulary, difficult sequences of sounds, or intonation patterns. Before you pair off to interview each other, the teacher may "run through" the interview questions with you, paying attention to any particularly difficult or unusual element within the material. This preparation often will give you the insight and understanding needed to experience success during the interview.

Your teacher will carry out the second phase by asking different students, chosen at random, the appropriate questions. Your teacher may ask any student the whole set of five questions, or he may ask several students the same question, before moving on to the next question. During the time these questions are directed to one particular student, your teacher may vary slightly by asking another student in the class what the first student just said.

The following is a typical sequence of questions, based on the third column of answers obtained by student X in an interview with student Y.

TEACHER: X, what is the name of the person you interviewed?

X: His name is Y.

TEACHER: Where was he born?

X: He was born in California.

TEACHER: X, is his father tall or short?

X: He's tall.

TEACHER: Z, what does X say about Y's father?

Z: He says Y's father is tall.

TEACHER: X, does Y like fast music or slow music?

X: Y likes fast music.

TEACHER: Class, repeat. "He likes fast music."

CLASS: He likes fast music.

TEACHER: X, does Y prefer American cars or foreign cars?

X: He prefers foreign cars.

TEACHER: *Z*, what kind of cars does *Y* prefer?

    Z: According to *X*, *Y* likes foreign cars.

TEACHER: *A*, *X* says that *Y*'s father is short. True or false?

    A: False.

TEACHER: What's the truth?

    A: *Y*'s father is tall.

TEACHER: Class, repeat, "*Y*'s father is tall."

  CLASS: *Y*'s father is tall.

An important feature of this model is that it will give you an opportunity to practice asking questions. At the same time, the first phase will offer you a different medium in which to practice, i.e., student-to-student. A suggestion is that each time an interview is employed, you might interview a different person in the class so that by the end of the school term, you will have had language practice with several peers whom you otherwise would have never encountered.

Focus: *¿qué?*—asking for a definition

1. ¿Cómo se llama Ud.?	1. Me llamo . . .	1. Se llama _____
2. ¿Qué es una novela?	2. Una novela es . . .	2. Es _____
3. ¿Qué son las memorias?	3. Las memorias son . . .	3. Son _____
		_____
4. En su opinión, ¿qué es una enciclopedia?	4. Es . . .	4. Es _____
		_____
5. Según usted, ¿qué es una educación?	5. Es . . .	5. Es _____
		_____

Focus: *¿qué?* + noun—dates and seasons

1. ¿Cómo te llamas?	1. Me llamo . . .	1. Se llama _____
2. ¿Qué fecha es hoy?	2. Hoy es . . .	2. Hoy es _____
3. En tu opinión, ¿qué fecha es la más importante para nuestra sociedad?	3. La fecha más importante es . . .	3. Es la de _____
		_____
4. ¿Qué mes del año prefieres más?	4. Prefiero . . .	4. Prefiere _____
5. ¿En qué estación del año eres más activo(a), físicamente?	5. Físicamente, soy más activo(a) en . . .	5. Es más activo(a) en _____
		_____

Focus: *cuál* and *cuáles*—asking for a choice among some or many possibilities

1. ¿Cuál es tu nombre?	1. Es . . .	1. Es _____
2. ¿Cuál es tu dirección?	2. . . .	2. _____
3. ¿Cuál es tu estado civil? ¿Soltero(a), casado(a), divorciado(a) o una persona con esperanza?	3. Soy . . .	3. Es _____
4. ¿Cuáles son dos aspectos positivos de tu vida?	4. Dos aspectos positivos son . . .	4. Los dos aspectos positivos son _____
5. ¿Cuál es tu especialidad aquí en la escuela?	5. Mi especialidad es . . .	5. Su especialidad es _____

Focus: dates

1. ¿Cómo te llamas tú?	1. Me llamo . . .	1. Se llama _____
2. ¿A cuántos estamos hoy?	2. Estamos a . . .	2. Estamos a _____
3. ¿Cuál es la fecha de tu cumpleaños?	3. Es el . . .	3. Es el _____
4. ¿En qué fecha se casaron tus padres?	4. Se casaron el . . .	4. Se casaron el _____
5. ¿En qué fecha del futuro crees que vas a fallecer?	5. Voy a fallecer el . . .	5. Va a fallecer el _____

Focus: two verbs (*poder* + another verb)

1. ¿Cómo te llamas?	1. Me llamo . . .	1. Se llama _____
2. ¿Qué puedes hacer para mejorar tu situación económica?	2. Para mejorar mi situación económica, puedo . . .	2. Puede _____
3. Para mejorar tus relaciones sociales, ¿qué puedes hacer?	3. Para mejorar mis relaciones sociales, puedo . . .	3. Puede _____
4. ¿Cómo puedes criticar la sociedad? ¿Escribiendo ensayos o quejándote a tus amigos?	4. Puedo criticarla . . .	4. Puede criticarla _____
5. Para saber más, ¿qué puedes hacer mejor? ¿Analizar todos los datos o memorizarlos?	5. Para saber más, puedo . . .	5. Puede _____ _____

Focus: *gustar* + indirect object pronoun

1. ¿Cómo te llamas?	1. Me llamo . . .	1. Se llama _____
2. ¿Qué te gusta hacer más? ¿Cocinar o coser?	2. Me gusta . . .	2. Le gusta _____ _____
3. ¿Cuándo te gusta meditar más? ¿En la mañana o en la tarde?	3. Me gusta meditar más en . . .	3. Le gusta meditar más en _____ _____
4. ¿Quién te escucha más? ¿Tu mejor amigo(a), tu padre, o tu madre?	4. El que me escucha más es . . .	4. El que le escucha más es _____ _____
5. ¿Cómo les escuchas a tus padres? ¿Con mucha atención o con poca atención?	5. Les escucho con . . .	5. Les escucha con _____ _____

Focus: *gustar* + indirect object pronoun

1. ¿Cómo se llama Ud.?	1. Me llamo . . .	1. Se llama _____
2. ¿Vive usted cerca de aquí o lejos de aquí?	2. Vivo . . .	2. Vive _____
3. ¿Le gusta trabajar mucho o poco?	3. Me gusta trabajar . . .	3. Le gusta trabajar _____
4. ¿Le gusta hablar más de sus amores o de su trabajo?	4. Me gusta hablar más de . . .	4. Le gusta hablar más de _____
5. ¿Qué le gusta hacer más? ¿Ir a fiestas o al cine?	5. Me gusta . . .	5. Le gusta _____

Focus: object pronouns

1. ¿Cómo se llama usted?	1. Me llamo . . .	1. El/Ella se llama _____
2. La práctica de español, ¿le gusta o le aburre?	2. Me . . .	2. A él/ella le _____
3. El espionaje internacional, ¿le fascina o le disgusta?	3. Me . . .	3. A él/ella le _____
4. El aborto, ¿lo apoya usted o lo rechaza?	4. Lo . . .	4. Lo _____
5. La censura parcial, ¿la acepta o la rechaza en ciertos casos?	5. La . . .	5. La _____

Focus: indirect object pronoun

1. ¿Cómo se llama Ud.?	1. Me llamo...	1. Se llama _____
2. ¿Qué le indica la criminalidad... que faltan policías o falta empleo?	2. Me indica que...	2. Le indica que _____ _____
3. ¿Qué le implica el alcoholismo... que hay muchos enfermos o que hay muchos bebedores sociales?	3. Me implica que...	3. Le implica que _____ _____
4. ¿Le preocupa más la criminalidad o el alcoholismo?	4. Me preocupa más...	4. Le preocupa más _____ _____
5. ¿Le es más esencial ser ambicioso(a) o discreto(a)?	5. Me es más esencial ser...	5. Le es más esencial ser _____

Focus: reflexive verbs

1. ¿Cómo se llama usted?	1. Me llamo...	1. El/Ella se llama _____
2. ¿Dónde se pasea usted más? ¿En el parque o en el centro?	2. Me paseo más en...	2. El/Ella se pasea _____
3. ¿Cuándo se pone usted más nervioso(a)? ¿Durante los estudios o los partidos de deportes?	3. Me pongo más nervioso(a) durante...	3. El/Ella se pone más nervioso(a) durante _____ _____
4. En su casa, ¿se encuentra más en el salón de estar o en la cocina?	4. Me encuentro más en...	4. El/Ella se encuentra más en _____
5. ¿Se enfada usted más por los amigos o por los desconocidos?	5. Me enfado más por...	5. El/Ella se enfada por _____

Focus: prepositions *por* and *para*
(in exchange for, by, for, to)

1. ¿Cómo te llamas?	1. Me llamo . . .	1. Se llama _____
2. ¿Para cuándo piensas terminar tus estudios académicos?	2. Pienso terminar mis estudios para . . .	2. Piensa terminar sus estudios para _____
3. ¿Qué haces por tus notas?	3. Por mis notas, yo . . .	3. Por sus notas, él/ ella _____
4. ¿Estudias mucho o poco por tus notas?	4. Por mis notas estudio . . .	4. Por sus notas, él/ ella estudia _____
5. Para aprovecharte más de la escuela, ¿qué más puedes hacer?	5. Puedo . . .	5. El/Ella puede _____

Focus: adjectives

1. ¿Cómo te llamas?	1. Me llamo . . .	1. Se llama _____
2. ¿Prefieres la vida rural o la vida urbana?	2. Prefiero la vida . . .	2. Prefiere la vida _____
3. Si fueras campesino(a), ¿llevarías una vida aburrida o una vida estimulante?	3. Si fuera campesino(a), llevaría una vida . . .	3. Si fuera campesino(a), llevaría una vida _____
4. En la ciudad, ¿vives en armonía con la naturaleza o en un estado nervioso y tenso?	4. En la cuidad, vivo en . . .	4. En la cuidad, vive en _____
5. Nombra tú una ventaja de la vida urbana.	5. Una ventaja es . . .	5. Una ventaja es _____

Focus: adjectives

1. ¿Cómo se llama usted?	1. Me llamo . . .	1. Se llama _____
2. ¿Dónde nació usted?	2. Nací en . . .	2. Nació en _____
3. ¿Prefiere usted los coches extranjeros o coches americanos?	3. Prefiero los coches . . .	3. Prefiere los coches _____
4. ¿Prefiere usted la música fuerte y rápida o la música suave y lenta?	4. Prefiero la música . . .	4. Prefiere la música _____
5. ¿Prefiere usted tomar jugo de fruta o bebidas refrescantes?	5. Prefiero tomar . . .	5. Prefiere tomar _____

Focus: adjectives and prepositional phrases

1. ¿Cómo se llama usted?	1. Me llamo . . .	1. Se llama _____
2. ¿En qué consiste su utopía? ¿En empleos para todos o dinero para todos?	2. Mi utopía consiste en . . .	2. Su utopía consiste en _____
3. ¿Quiere vivir en una utopía libre de sufrimentos físicos o libre de las estupideces de TV?	3. Quiero vivir en una utopía libre de . . .	3. Quiere vivir en una utopía libre de ____ _____
4. Para usted es el aborto justificable o injustificable?	4. Para mí el aborto es . . .	4. Para él/ella el aborto es _____
5. ¿Es el aborto más repugnante o menos repugnante que la eutanasia?	5. El aborto es . . .	5. El aborto es ____ _____

Focus: prepositional phrase

---

1. ¿Cómo te llamas?

2. Vives en una casa con dos habitaciones o con más de dos habitaciones?

3. ¿Queda tu casa cerca de la escuela o lejos de la escuela?

4. Tu casa, ¿está pintada de un color o de dos colores?

5. Eres una persona con mucha imaginación o con poca imaginción.

1. Me llamo . . .

2. Vivo en una casa con . . .

3. Mi casa queda . . .

4. Mi casa está pintada de . . .

5. Soy una persona con . . .

1. Se llama _____

2. Vive en una casa con _____

3. Su casa queda

_____

4. Su casa está pintada de _____

_____

5. Es una person con

_____

Focus: present tense of *estar*

1. ¿Cómo te llamas?	1. Me llamo ...	1. Se llama _____
2. ¿En este momento estás contento(a) o estás desilusionado(a)?	2. En este momento estoy ...	2. Dice que está _____
3. ¿Usualmente estás ocupado(a) o cansado(a) en esta clase?	3. Usualmente estoy ...	3. Usualmente está _____
4. ¿Estás más interesado(a) en leer una novela o un periódico?	4. Estoy más interesado(a) en leer ...	4. Está más interesado(a) en leer _____
5. Cuando tus amigos te hacen bromas, ¿estás a gusto o estás molesto(a)?	5. Usualmente estoy ...	5. Usualmente está _____

Focus: present tense

1. ¿Cómo te llamas?	1. Me llamo ...	1. Se llama _____
2. ¿A qué hora tomas una merienda?	2. Tomo una merienda a las ...	2. Toma una merienda a las _____
3. Al comer, en general, ¿tienes mucha prisa o poca prisa?	3. En general, tengo ...	3. En general, tiene _____
4. ¿A dónde vas para comer fuera de casa?	4. Voy a ...	4. Va a _____
5. En una dieta, ¿qué tienes que comer?	5. Tengo que comer ...	5. Tiene que comer _____

Focus: preterite tense

1. ¿Cómo se llama Ud.?	1. Me llamo . . .	1. Se llama _____
2. ¿A qué hora se levantó Ud. esta mañana?	2. Esta mañana me levanté a las . . .	2. Esta mañana se levantó a las _____
3. ¿Hoy llegó Ud. a clase temprano, a tiempo o tarde?	3. Hoy llegué . . .	3. Hoy llegó _____ _____
4. ¿Qué hizo Ud. anoche? ¿Trabajó o descansó o ¿qué?	4. Anoche, yo . . .	4. Anoche _____ _____
5. Además de trabajar o descansar, ¿qué cosa muy interesante hizo usted anoche?	5. Anoche, yo . . .	5. Anoche, él/ella _____ _____

Focus: preterite tense

1. ¿Cómo te llamas?	1. Me llamo . . .	1. Se llama _____
2. ¿Dónde naciste?	2. Nací en . . .	2. Nació en _____
3. Ayer, ¿tuviste mucho o poco dinero?	3. Ayer tuve . . .	3. Ayer tuvo _____
4. Anoche, ¿estuviste bien o estuviste mal?	4. Anoche estuve . . .	4. Anoche _____
5. Anoche, ¿qué pasó? ¿Soñaste con pesadillas o dormiste tranquilo?	5. Anoche, yo . . .	5. Anoche _____

Focus: irregular preterite

1. ¿Cómo te llamas?	1. Me llamo . . .	1. Se llama _____
2. ¿Dónde naciste tú?	2. Nací en . . .	2. Nació en _____
3. ¿Tuviste una niñez contenta o descontenta?	3. Tuve una niñez . . .	3. Tuvo una niñez _____
4. ¿A cuántos años supiste la diferencia entre los niños y las niñas?	4. Supe la diferencia a los . . . años.	4. Supo la diferencia a los _____ años.
5. ¿Qué quisiste hacer con tu vida? ¿Disfrutarla o tolerarla?	5. Quise . . .	5. Quiso _____

Focus: preterite tense

1. Cuando niño(a), ¿qué apodo te dieron?	1. Me dieron el apodo de . . .	1. Le dieron el apodo de _____
2. ¿Cuando supiste la diferencia entre niños y niñas? ¿A los tres años, a los cinco años, o cuándo fue?	2. Supe la diferencia a los . . .	2. Supo la diferencia a los _____
3. En tu último sueño, ¿qué figura impresionante apareció? ¿Fue un monstruo, un ladrón, un amante, u otra cosa? ¿Cuál?	3. Fue . . .	3. Fue _____
4. ¿Qué viste una vez que te produjo una sacudida fuerte?	4. Vi . . .	4. Vio _____
5. ¿Anoche, qué actividad divertida o interesante hiciste?	5. Anoche . . .	5. Anoche _____

Focus: two verbs—first verb in preterite tense + *estar . . . -ndo*

1. ¿Cómo se llama usted?	1. Me llamo . . .	1. Se llama _____
2. Anoche, ¿prefirió estar ganando o gastando mucho dinero?	2. Anoche, preferí estar . . .	2. Anoche, prefirió estar _____
3. Ayer, ¿quiso usted estar jugando a las cartas o escribiendo una carta?	3. Ayer, quise estar . . .	3. Ayer, quiso estar _____
4. Ayer, por la tarde, ¿debió estar estudiando o jugando?	4. Ayer, debí estar . . .	4. Ayer, debió estar _____
5. Anoche, ¿tuvo que estar investigando alguna materia o charlando con sus amigos?	5. Anoche, tuve que estar . . .	5. Anoche, tuvo que estar _____ _____

Focus: imperfect tense

1. ¿Cómo se llama Ud.?	1. Me llamo . . .	1. Se llama _____
2. ¿Dónde vivía Ud. durante su niñez?	2. Durante mi niñez vivía . . .	2. Durante su niñez, vivía _____
3. De niño(a), ¿qué prefería hacer? ¿Viajar, leer, o pintar?	3. De niño(a), prefería . . .	3. De niño(a), prefería _____
4. Antes, ¿cómo era Ud.? ¿Más político, más tímido, más creativo o más indiferente?	4. Antes, era más . . .	4. Antes, era más _____
5. Antes, ¿tenía Ud. mucha o poca curiosidad para saber más?	5. Antes, tenía . . .	5. Antes, tenía _____

Focus: imperfect tense

1. ¿Cómo se llama usted?
2. De niño(a), ¿comía mucho o sólo un poco?
3. Los domingos durante su niñez, ¿iba usted mucho al cine o se quedaba en casa?
4. En el pasado, ¿montaba usted a caballo más o se pescaba en la playa?
5. Antes, en la noche, ¿contaba usted estrellas más o pensaba más en sus amores?

1. Me llamo...
2. De niño(a), comía...
3. Los domingos durante mi niñez, yo...
4. En el pasado, yo...
5. Antes, en la noche, yo...

1. Se llama _____
2. El/Ella comía

   _____
3. Durante mi niñez,

   él/ella _____

   _____
4. En el pasado,

   él/ella _____

   _____
5. Antes, él/ella

   _____

   _____

Focus: preterite and imperfect tenses

1. ¿Cómo se llama Ud?
2. ¿Qué cosa esencial hizo Ud. esta mañana?
3. De niño(a), ¿dónde vivía Ud.?
4. Cuando niño(a), ¿prefería los alimentos procesados o los alimentos naturales?
5. Nombre Ud. un alimento que comió ayer.

1. Me llamo...
2. Esta mañana...
3. De niño(a), vivía...
4. Cuando niño(a), prefería...
5. Ayer comí...

1. Se llama _____
2. Esta mañana

   _____
3. De niño(a), vivía

   _____
4. Cuando niño(a),

   prefería _____

   _____
5. Ayer comió _____

   _____

Focus: present perfect tense

1. ¿Qué apodo le han llamado a usted?	1. Me han llamado . . .	1. Le han llamado
2. ¿Ha estudiado español antes o sólo ahora en este año?	2. Lo he estudiado . . .	2. Lo ha estudiado
3. ¿Cuánta experiencia ha tenido con el hipnotismo? ¿Mucha o poca experiencia?	3. He tenido . . .	3. Ha tenido _____
4. ¿Qué cosa interesante ha visto usted en las últimas 24 horas?	4. En las últimas 24 horas he visto . . .	4. Ha visto _____
5. ¿Qué cosa extraordinaria ha querido hacer en las últimas 24 horas?	5. En las últimas 24 horas he querido . . .	5. Ha querido _____

Focus: present perfect tense

1. ¿Cómo se llama Ud.?	1. Me llamo . . .	1. Se llama _____
2. ¿Qué bebidas ha tomado recientemente? ¿Las resfrescantes o las alcohólicas?	2. Recientemente he tomado . . .	2. Recientemente ha tomado
3. ¿En qué filosofía ha creído Ud. más? ¿Que poco a poco se va lejos o que cada loco tiene su tema?	3. He creído en que . . .	3. Ha creído en que
4. ¿Qué punto ha considerado Ud. más importante? ¿La paz mundial, la contaminación del ambiente u otro punto? ¿Cuál?	4. He considerado más importante el punto de . . .	4. Ha considerado más importante
5. ¿Qué cosa extraordinaria ha visto Ud. en su vida que le ha impresionado?	5. He visto . . .	5. Ha visto _____

Focus: complex sentence with subjunctive—past tense

1. ¿Cómo te llamas?

2. Para tu cumpleaños, ¿qué querías que te hicieran tus amigos?

3. Cuando tu mejor amigo(a) necesitaba ayuda, ¿qué le aconsejabas que hiciera?

4. De niño(a), ¿qué esperaban tus padres que llegaras a ser en la vida?

5. ¿Qué era absoluta-mente necesario que hicieras la semana pasada?

---

1. Me llamo . . .

2. Quería que mis amigos me . . .

3. Le aconsejaba que . . .

4. Ellos esperaban que yo . . .

5. Era absolutamente necesario que yo . . .

---

1. Se llama _____

2. Quería que sus amigos le _____

3. Le aconsejaba que
_____
_____

4. Ellos esperaban que él/ella _____
_____

5. Era absolutamente necesario que él/ella _____
_____

Focus: two verbs—past subjunctive with perfect tense in independent clause

1. ¿Cómo te llamas?

2. Ayer, en vez de trabajar, ¿a dónde hubieras querido ir?

3. Ayer, en vez de divertirte, ¿qué debieras haber hecho?

4. El año pasado, en vez de perder tanto tiempo, ¿qué debieras haber leído?

5. La semana pasada, no hiciste una cosa pero ¿qué pudieras haber hecho?

---

2. Me llamo . . .

2. Ayer, yo hubiera querido ir a . . .

3. Ayer, debiera haber . . .

4. El año pasado, yo debiera haber leído . . .

5. La semana pasada, pudiera haber . . .

---

1. Se llama _____

2. Ayer, él/ella hubiera querido ir
a _____

3. Ayer, debiera haber
_____

4. El año pasado, debiera haber leído
_____

5. La semana pasada, pudiera haber
_____

Focus: two verbs—first verb in perfect tense with past subjunctive

1. ¿Cómo te llamas?	1. Me llamo . . .	1. Se llama _____
2. Ayer estudiaste, pero ¿qué hubieras querido hacer?	2. Ayer, hubiera querido . . .	2. Ayer, hubiera querido _____ _____
3. Anoche te acostaste, pero, ¿qué hubieras podido hacer?	3. Anoche, hubiera podido . . .	3. Anoche, hubiera podido _____ _____
4. Una vez te divertiste demasiado, pero ¿qué hubieras debido hacer?	4. Una vez, hubiera debido . . .	4. Una vez, hubiera debido _____ _____
5. Una vez no hiciste nada, pero ¿qué hubieras podido hacer?	5. Una vez, hubiera podido . . .	5. Una vez, hubiera podido _____ _____

Focus: soft commands through questions

1. ¿Me dice su nombre?	1. Es . . .	1. Es _____
2. ¿Me dice en qué parte del país nació usted?	2. Nací en . . .	2. Nació en _____
3. ¿Me indica qué tipo de animal doméstico prefiere tener en casa?	3. Prefiero tener . . .	3. Prefiere tener _____
4. ¿Me explica qué regalo de sorpresa le daría al profesor?	4. A él yo le daría . . .	4. A él le daría _____
5. ¿Me explica qué tipo de restaurante prefiere?	5. Prefiero . . .	5. Prefiere _____ _____

Focus: conditional tense

1. ¿Cómo se llama usted?	1. Me llamo . . .	1. Se llama _____
2. Con mil dólares, ¿qué podría hacer?	2. Con mil dólares, podría . . .	2. Podría _____
3. En España, ¿qué haría usted?	3. En España yo . . .	3. El/Ella _____
4. Con mucha imaginación, ¿qué sería usted?	4. Con mucha imaginación yo sería . . .	4. Sería _____ _____
5. Como regalo, ¿qué le daría al Presidente de México?	5. Le daría . . .	5. Le daría _____ _____

Focus: present subjunctive in adverbial time clause of indefinite future

1. ¿Cómo se llama usted?	1. Me llamo . . .	1. Se llama _____
2. Después de que gane mucho dinero, ¿qué va a hacer usted?	2. Después de que gane mucho dinero, voy a . . .	2. Después de que gane mucho dinero, va a _____ _____
3. Antes de que se case, ¿qué va a hacer usted?	3. Antes de que me case, voy a . . .	3. Antes de que se case, va a _____ _____
4. Después de que usted consiga un empleo bueno, ¿qué va a hacer?	4. Después de que consiga un empleo bueno, voy a . . .	4. Después de que consiga un empleo, va a _____ _____
5. Antes de que se muera, ¿qué va a hacer?	5. Antes de que me muera, voy a . . .	5. Antes de que se muera, va a _____ _____

Focus: hypothetical situation (contrary to fact or reality)

1. ¿Cómo te llamas?	1. Me llamo . . .	1. Se llama _____
2. Si no vivieras en X, ¿dónde te gustaría vivir?	2. Me gustaría vivir . . .	2. Le gustaría vivir en _____
3. Si fueras un agente de la CIA, ¿qué harías?	3. Yo . . .	3. El/Ella _____ _____
4. Si pudieras, ¿qué cambiarías en este mundo?	4. Cambiaría . . .	4. Cambiaría _____ _____
5. Si fueras político, ¿qué les dirías a tus constituyentes?	5. Les diría que . . .	5. Les diría que _____ _____

Focus: hypothetical situacion (contrary to fact or reality) with *haber* . . . *-do*

1. ¿Cómo se llama usted?	1. Me llamo . . .	1. Se llama _____
2. Si no hubiera entrado en la escuela, ¿qué habría hecho?	2. Yo habría . . .	2. El/Ella habría _____
3. Si hubiera podido viajar, ¿a dónde habría ido?	3. Habría ido a . . .	3. El/Ella habría ido a _____
4. Si hubiera tenido una varita mágica, ¿qué habría hecho?	4. Yo habría . . .	4. El/Ella habría _____
5. Si usted se hubiera casado, ¿cómo habría sido su esposo(a)?	5. El(la) esposo(a) habría sido . . .	5. El(la) esposo(a) habría sido _____

Focus: hypothetical situation (contrary to fact or reality)

1. ¿Cómo se llama Ud.?	1. Me llamo . . .	1. Se llama _____
2. Si pudiera vivir en otra época, ¿cuándo sería?	2. Sería . . .	2. Sería _____
3. Si le dieran otra oportunidad de pasar por esta vida, ¿qué haria Ud.?	3. Yo . . .	3. El/Ella _____ _____
4. Con respecto a la reincarnación, si hubiera tenido otra vida anterior, ¿qué le habría gustado ser?	4. Me habría gustado ser . . .	4. Le habría gustado ser _____ _____
5. Si tuviera una habilidad extraordinaria de crear invenciones, ¿qué inventaría o qué haría Ud.?	5. Yo . . .	5. El/Ella _____ _____

Focus: certain phrases
(*debido a, tomar en cuenta, según, a qué, a la . . .*)

1. ¿Cómo te llamas?	1. Me llamo . . .	1. Se llama _____
2. Debido a tus habilidades, ¿qué te gusta hacer?	2. Debido a mis habilidades, me gusta . . .	2. Debido a sus habilidades, le gusta _____
3. Tomando en cuenta tus problemas, ¿qué no puedes hacer que te gustaría hacer?	3. Tomando en cuenta mis problemas, no puedo . . .	3. Tomando en cuenta sus problemas, no puede _____
4. Según tus preferencias, ¿tienes mayor interés en educarte intelectualmente, en disfrutar la vida trivialmente o en otra cosa?	4. Según mis preferencias, tengo mayor interés en . . .	4. Según sus preferencias, tiene mayor interés en _____ _____
5. ¿A qué se deben tus problemas más gordos? ¿A la escasez de dinero, a la falta de amistades o a otra cosa? ¿Cuál?	5. Mis problemas más gordos se deben a . . .	5. Sus problemas más gordos se deben a _____ _____

Focus: **article + *de* + noun or verb (*de*-phrase acts as noun)**

---

1. ¿Cómo te llamas?

1. Me llamo . . .

1. Se llama _____

2. En tu opinión, ¿cuál ha sido el evento más importante de este siglo actual? ¿El de la bomba atómica o el de explorar el espacio?

2. En mi opinión, el evento más importante ha sido el de . . .

2. Ha sido _____

_____

_____

3. ¿Cuál es la cualidad que deseas para guiar tu vida? ¿La de la sinceridad o la de la ambición?

3. La cualidad que deseo es la de . . .

3. Es la de _____

_____

_____

4. ¿Qué valor prefieres seguir? ¿El de respetar a los padres o el de respetar el ambiente?

4. Prefiero seguir el de . . .

4. Prefiere seguir el de

_____

_____

5. ¿Qué actividades prefieres más? ¿Las de lo físico o las de lo intelectual?

5. Las actividades son las de . . .

5. Son las de _____

_____

Focus: *a* + article + moment of time and *mismo . . . que* and *más . . . que*

1. ¿Cómo se llama Ud.?   1. Me llamo . . .   1. Se llama _____

2. ¿Apoya Ud. el aborto   2. Yo . . .   2. El/Ella _____
   o está en contra del
   aborto?   _____

3. En su opinión,   3. La vida comienza . . . 3. En su opinión, la
   ¿cuándo comienza la   vida comienza
   vida? ¿Al momento
   de concepción, a los   _____
   tres meses, o al
   nacimiento?   _____

4. ¿Tendrá un embrión   4. Creo que . . .   4. En su opinión,
   los mismos derechos
   constitucionales que   _____
   una madre o tendrá
   la madre más derechos   _____
   constitucionales?

5. ¿Tendrá un embrión   5. Creo que . . .   5. En su opinión,
   los mismos derechos
   que un feto o tendrá   _____
   el uno más derechos
   que el otro?   _____

Focus: medical terms

1. ¿Cómo se llama usted?	1. Me llamo . . .	1. Se llama _____
2. ¿Se siente bien o mal?	2. Me siento . . .	2. Se siente _____
3. Por lo general, ¿le duele más la cabeza o el estómago?	3. Por lo general, me duele más . . .	3. Por lo general, le duele más _____ _____
4. ¿Sufre más de alérgias o de resfríos?	4. Sufro más de . . .	4. Sufre más de _____
5. Cuando está enfermo(a), ¿va a la clínica o se queda en casa?	5. Yo . . .	5. Cuando está enfermo(a), _____ _____

Focus: directions

1. ¿Cómo se llama Ud.?	1. Me llamo . . .	1. Se llama _____
2. ¿En qué calle queda su domicilio?	2. Mi domicilio queda . . .	2. Su domicilio queda _____
3. Su calle, ¿queda lejos de aquí o cerca de aquí?	3. Mi calle queda . . .	3. Su calle queda _____
4. ¿A cuántas calles queda su casa de aquí?	4. Mi casa queda a . . .	4. Su casa queda a _____
5. Para encontrarla, ¿voy a la derecha, a la izquierda, o derecho?	5. Para encontrarla, Ud. va a . . .	5. Para encontrarla, voy a _____ _____

SECTION II

PUBLIC OPINION MODEL

Each of us at one time or another has had a definite opinion about a certain issue. Yet despite our definite viewpoint, we are sometimes reluctant to take a public stand on the issue. This model facilitates taking a public stand. The framework of this model consists of a set of four matrix sentences (lead-in phrases). You will use them to state a position on the issue being discussed.

Creemos que . . .

Pensamos que . . .

Nos parece que . . .

Nuestra opinión es que . . .

IMPLEMENTATION

You will separate into groups of four each. You will exchange ideas and come to a consensus about four statements you wish to make public about the issue. To do this, you will decide on the sentences you create to finish the four matrix sentences of the model. Although the four lead-in phrases express similar ideas, the four statements you invent are to be different. In the early stages, you should be brief and use simple language to formulate your four statements.

Equipped with these matrix sentences and the issue, you will work in class in small groups of four or individually in or outside of class. If the public opinion model is used as an out-of-class activity it may be assigned for the following class period. In this case, you will use the "I" form of the verbs and not the "we" form. If carried out in class, you may work in small clusters as a group project. The group will work collectively for about ten minutes to arrive at a public stand. The four statements formulated in each group (the first phase) will become the lesson content which your teacher will later use to ask general questions (the second phase). During the first phase, your teacher will function as a resource person, circulating among your groups, providing useful tips and vocabulary. After the ten-minute group project, you will reassemble in a whole-class setting to share your public statements on the issue. The following are possible issues.

La televisión	El amor
Los deportes profesionales	La vida
Las drogas	El cambio
El matrimonio	Las tradiciones
La criminalidad	El guardar secretos
La religión	La educación
La política	El trabajo
La familia	La Navidad
El aborto	Las vacaciones
El tiempo	Los alimentos naturales
Los sueños	Los alimentos procesados
La muerte	El sexo prematrimonial
El fumar	El proceso de llegar a ser
La amistad	Las películas modernas
El robo	La prisión
Las elecciones	La pena de muerte
El alcoholismo	El hipnosis
El valor de buen humor	Los problemas de las grandes ciudades
El valor de buenas relaciones sociales	La contaminación del aire
El valor de buena salud	La revolución
etc.	etc.

This list is by no means exhaustive. Any issue may be possible. Here is an example in English of how the full complement of matrix sentences may be filled in:

Issue = Education

We believe *education is necessary.*

We think *we should study in greater depth.*

It seems to us that *we can use our studies in a practical way.*

It is our opinion that *without an education we can't achieve our goals.*

After about ten minutes of small group deliberations in which you will collectively formulate your public stand, your teacher will bring you back to a whole-class situation and asks questions. For example:

X, ¿qué creen ustedes?
Y, ¿qué piensan ustedes?
Z, ¿qué les parece a ustedes?
A, ¿cúal es la opinión de ustedes?
B, ¿qué creen ellos?
C, según ellos, ¿qué piensan?
D, según ellos, ¿cuál es la opinión de ellos?
E, ellos creen que _____. ¿Cierto o falso?
F, ellos piensan que _____. ¿Cierto o falso?
    etc.

The teacher may invent some false statements that correspond to any of the groups' responses, to test your listening comprehension. When one of you does answer correctly that the statement is false, the teacher may then ask you what the true statement should be.

A VARIATION OF THE MODEL (optional)

The following variation can serve as a preliminary step to the public opinion model. Your teacher will make a statement on some issue. You will choose one of the three categories (take a stand) and then use the public opinion model to elaborate your positions. Before your teacher makes the statement, you will write on a piece of paper the following three categories:

—— Estoy de acuerdo.
—— Estoy un poco de acuerdo.
—— No estoy de acuerdo.

Examples of statements that could be made:

1. There is much sexual discrimination in our society today.
   (Hay mucha discriminación sexual dentro de la sociedad de hoy.)

2. Today a politician cannot be honest because there are so many ways of becoming corrupt in politics.
   (Hoy día un político no puede ser honrado porque hay tantas posibilidades de corromperse en la política.)
3. All human beings are religious in one way or another.
   (Todo ser humano es religioso de una manera u otra.)
4. The cafeteria food here is flavorful and nourishing.
   (La comida de la cafetería de aquí es sabrosa y nutritiva.)

Your teacher will take a hand count of each of the three opinion areas. The class will then be divided into three groups: one for "in favor," another for "moderately in favor," and the third group for "not in favor." The groups will deliberate for ten minutes to state evidence or opinions to support their position. After the deliberations, the groups will share their opinions, and the teacher will ask questions or make "true/false" statements about your public opinions.

CRAZY SENTENCE MODEL

This model will involve you in the process of productive language practice. It is a medium that helps students concentrate on various syntactic structures and their interrelationships. Its implementation will provide a stimulating and humorous practice activity that will entertain as well as instruct. The model is based on the premise that people are intrigued by any distortion of the ordinary view of reality, especially when it is a humorous or absurd distortion.

IMPLEMENTATION

The crazy sentence model facilitates the distortion of reality in a humorous or ludicrous sense. This model is implemented when you collectively produce, piece by piece and phrase by phrase, a grammatically correct nonsense sentence. Your teacher will guide the construction of the sentence to ensure a well-formed structure to aid you in learning what kind of syntactic patterns may occur with other possible patterns. If one of you volunteers a part to add to the sentence and says it incorrectly, your teacher will cast it in the correct grammatical form as he or she writes it on the chalkboard. The intended distortions and the humor will add zest to the activity and help you focus your attention on the structures being used in the development of the crazy sentence.

As you employ the model in class periodically, your teacher may find it useful to point out in the particular crazy sentence the different classes of words, phrases and clauses, and individual items that belong to those classes. That is, he or she will focus on the sentence slots that are filled by certain kinds of syntactic structures: nouns, verbs, adverbials, adjectives, and various phrases and clauses.

The task of the whole class is two-fold. First, you will collectively create a grammatically correct nonsense sentence, and second you will practice its content by means of specific questions that logically correspond to it. To complete the first task, you volunteer input for the sentence. But the sentence is no ordinary sentence; it does not consist of conventional words strung together in conventional ways. Its uniqueness stems from your putting conventional words together in unconventional ways. For example, an ordinary phrase might be "the golden sunset." A more unexpected phrase would be "the rising sunset." The thought is unique and, hence, interesting because sunsets are produced when the sun goes down not up. Poetically, however, as one ponders the beauty of a sunset, it may *rise* in one's awareness of it. Another example may be the difference between a conventional phrase, say, "smoke a cigar" and the nonsensical phrase "smoke a glass of tea." The latter is a distortion of the ordinary view of what might be done in reality.

Your teacher will guide the construction of the crazy sentence by asking pertinent questions to elicit from you the bits and pieces that are used in the sentence development. For example, the teacher will ask you to think of a grammatical subject with which to begin the nonsense sentence. (Or, your teacher may suggest a subject to which you continue adding words and phrases to produce ultimately a complete nonsense sentence.) You may volunteer the phrase "The ball." Then, to facilitate the continuation of volunteered input, your teacher will ask several questions: "What kind of ball is it?", "How is the ball?", "Where is the ball?", or "What does the ball do?" As the teacher guides the creation of the crazy sentence, he or she will attempt to include several different syntactic elements. The final version of the sentence may contain various phrases and clauses. Adverbs of time (when), location (where), and manner (how) are usually included as well as a variety of adjectives—both single words and adjective clauses.

The second task, the practice session, is undertaken when your teacher begins asking follow-up questions. Focusing on the various parts of the sentence, the teacher can ask all the pertinent questions: who, what, where, when, how, what kind, with whom, etc. The questions may be asked with the sentence still written on the chalkboard or after it has been erased.

At times you may want to volunteer unique words or phrases and will be unable to say them in Spanish. Your teacher will encourage you to make your input in English when it is too difficult for you to articulate it in Spanish. Your teacher, then, will translate it immediately into Spanish. From that moment, you will practice the concept exclusively in Spanish.

Here are five examples of the crazy sentence:*

1. La nueva mujer antigua nada en el polvo mientras fuma un vaso de té con ojos nebulosos, y durante la canción de la playa de hongos, canta.
    (The new old woman swims in the dust while she smokes a glass of tea with nebulous eyes, and during the song of the mushroom beach, she sings.)
2. El elefante baila oscuramente en la escuela polar para quedarse en las nubes infernales de una puesta de sol que sube.
    (The elephant dances darkly in the polar school to remain in the infernal clouds of a rising sunset.)
3. El papel tonto fue a nadar con las vacas de caballo en el lago seco y lleno de agua para telefonear a su madre, la mar.
    (The dumb paper went to swim with the horse-cows in the dry lake full of water to telephone its mother, the sea.)

4. Los dulces caballos de diez piernas y el pan académico de dos cabezas están muy picantes y van a la biblioteca a la medianoche por alas de oro para bailar tonta-mente con las cucarachas musicales en el zapato automovilístico.
    (The sweet ten-legged horses and the two-headed academic bread are very spicy and are going to the library at midnight by golden wings to dance dumbly with the musical cockroaches in the automobile shoe.)
5. Los negros zapatos verdes y rojos que tienen huevos graciosos y botones humanos bailan en el cine que estudia sandías.
    (The green and red black shoes that have funny eggs and human buttons dance in the movie that studies watermelons.)

Creating the crazy sentences and using the follow-up questions will facilitate the practice of various syntactic structures. The effect of asking all the pertinent questions (who, what, where, when, how, etc.) is to "tear down the sentence and build it back up" several times. This "tearing down and building back up" will help you to internalize the sentence structure.

*Actual sentences created by Spanish students in some San Diego classrooms.

MINI-POEM MODEL

The mini-poem model facilitates writing practice during the early stages of language skill. At the same time you are practicing writing, the model will enable you to be creative and imaginative. Also, during the creation of a mini-poem, your values, feelings and personal experiences, or opinions may easily emerge to affect the content of the poem.

IMPLEMENTATION

The mini-poem model is based on the content of a picture and consists of five short lines. The first two or three times you write a mini-poem, you will select a picture that has certain personal meaning for you: a photo of a family party, a pet animal, a friend, a magazine picture of personal interest. The picture, then, becomes the subject of the poem.

A mini-poem consists of five lines:

1st line: one word—a noun that names the content of the picture.
2nd line: two adjectives (single words) that describe the content of the picture.
3rd line: three gerundive or progressive verb forms (single words, each) that describe what the content may be doing or what it may be able to do.
4th line: a simple phrase or short sentence that you will use to make a personal statement about the subject of the poem.

5th line: one word or a short phrase that in some manner produces a surprise or unexpected ending.

The mini-poem model is an excellent medium through which you can exercise your imagination as well as enrich your vocabulary. In this connection, a dictionary may become a useful part of your language-learning tools. Since your goal is a novel poetic creation of your own choice, you will feel a strong incentive to look up words in a dictionary.

The following two examples of this model are the actual inventions of students. The two mini-poems are from the students' personal experiences:

Chica
Bonita, fina
Trabajando, modelando, parando
Ella tiene mucha elegancia
Muere de hambre

Coche
Cómodo, íntimo
Manejando, parando, estacionando
Los asientos reclinan
No! No! No!

This creative activity may be assigned as a homework project to be handed in later or to be presented verbally in class. After the mini-poem is presented verbally to the whole class, your teacher may ask certain questions about its content. For example:

About the 1st line: *X*, ¿de qué se trata el poema?
    the 2nd line: *Y*, ¿cómo es el/la _____ ?
                    or ¿cómo son los/las _____ ?
    the 3rd line: *Z*, ¿qué está haciendo?
    the 4th line: *X*, (¿Qué? ¿Cómo? ¿Dónde? ¿Cuándo? etc.)
    the 5th line: *Y*, Any relevant question to elicit an answer using the surprise or contrary information. For example, *X*, ¿qué pasó a _____ ? or *Y*, ¿qué nos dice *A* de _____ ?

Later, after you have learned to control the mini-poem structure, your teacher may have you select from your language textbook or other sources pictures based on Spanish culture and have you use them for preparing your mini-poems. For example, you may focus your attention on national types, such as the Spanish Civil Guard, the mule driver of Mexico, the "changador" in Argentina, or the ubiquitous bullfighter. Or, a picture of an imposing cathedral may be selected. Another topic could be the country itself (Mexico, Peru, Spain) or a city of the culture.

Buenos Aires
Extensiva, majestuosa
Creciendo, industrializando, asegurando
Es hermosa y da seguridad
Polución

In addition to writing practice, the mini-poem is a device designed to aid you in becoming more aware of cultural details.

The following mini-poems are products of learners from actual Spanish classes:

Revolucionario
Valiente, dedicado
Luchando, tomando, soñando
Una inspiración en nuestro pasado
Vive hoy

Cigarros
Finos, aromaticos
Fumando, savoreando, lumbrando
Una gran tradición en España
Hediondos

Torero
Fuerte, valiente
Lidiando, bailando, pavoneándose
Con movimientos agraciados evade
Corneado

DIALOG MODEL

This model is designed to provide you with an easily manageable medium to practice writing. The format of the dialog model is limited and brief; yet it allows a certain freedom of expression. While you practice writing, the model will enable you to use your imagination, feelings, or values.

The format of this model is similar to the style used by the great fabulist, Aesop. Aesop's technique was to take two elements of nature, personify them, and have them converse. For example, some of the great Aesop fables include the dialogs between the hare and the tortoise, the sun and the wind, and the fox and the crow.

IMPLEMENTATION

The dialog framework consists of from six to eight lines of conversation between two personages. The word *personage* is used here to indicate that the two speakers in the dialog may be personifications of nature rather than people. You are to compose a dialog that in some sense is similar to the format used by Aesop. You will be given the project of deciding which two elements of nature you will use, personifying them, and creating a conversation between them.

278

Initially, you will write the dialog by incorporating the personification of two elements of nature. Later, after you have learned to control the dialog model as a creative medium, it may be used to focus your attention on other areas: cultural, sociological, or psychological aspects of the target country or countries. The dialog, for example, might focus on a *patrón* and a *peón* in the Hispanic world, or focus could be placed on a *mestizo* and a *cholo* of Peru. The content for the dialog would be a mixture of fact and fiction: the fact from authentic cultural sources; the fiction from your imagination. In this sense, the dialog will serve as a medium for enhancing your awareness of the culture, sociology, or psychology of the people who are native speakers of Spanish.

Here are some examples of dialogs created by actual beginning and intermediate students of Spanish:

Pluma Uno y Pluma Dos

PLUMA UNO: ¡Hola! ¿Qué pasa?

PLUMA DOS: Nada de particular. ¿De qué pájaro eres?

PLUMA UNO: No sé. Creo que soy de un falcón. Pero no estoy seguro. ¿De qué parte del país eres?

PLUMA DOS: Soy del Perú. Mi pájaro nació en los Andes. Hace mucho frío en las montañas. Salí de mi pájaro en el año 1954. ¿Y tú?

PLUMA UNO: No sé. Soy muy tonto, ¿verdad? Pero creo que el año fue 1930.

PLUMA DOS: Adiós, chico tonto.

PLUMA UNO: Adiós.

El Empleado y el Jefe

EMP: Necesito más dinero.

JEF: ¿Por qué? Tienes bastante.

EMP: Tengo cuatro niños para dar a comer.

JEF: Pero te pago $2.00 por hora.

EMP: Por mis niños necesito más. ¿Quiere Ud. pensar en mí?

JEF: Sí. Mañana.

El Tiempo Libre y el Tiempo Fijo

TL: ¡Oye! ¿Por qué tienes prisa?

TF: (A sí mismo) . . . primero, tengo que practicar el piano por dos horas, entonces . . .

TL: Hombre, ¿qué tal?

TF: . . . tomaré una pausa de cinco minutos para un bocadito . . .

TL: ¿Un bocadito? No, gracias, hombre, acabo de desayunar.

TF: ¿Qué? ¿Desayuno? No, no tengo hambre . . . entonces, podré apurarme a casa para terminar mi proyecto de arte . . .

TL: ¿De qué estás hablando?

TF: ¿Hablar? No tengo tiempo de hablar. Ahora, vamos a ver . . .

La Fuerza del Bien y la Fuerza del Mal

FM: Quiero hacerle una proposición. Si Ud. y yo trabajamos juntos, podríamos controlar el mundo.

FB: Es imposible. Tengo una manera diferente de trabajar que la de Ud.

FM: ¡Sí! Por eso, podríamos trabajar juntos muy bien.

FB: No. Los que siguen a usted siempre tienen miedo de castigo. No pueden vivir nunca en paz.

FM: Pero eso no es importante. Lo importante es que controlemos el mundo.

FB: Pero ya controlo el mundo.

FM: ¿Quién lo dice?

FB: Mi Padre y Yo, porque lo creamos.

INDEX

Adjectives, 75, 84, 97–99, 101, 115–16, 157–58, 225, 247–48, 272

Adverbs
  -*mente*, 5
  regular, 15, 32, 101, 113

Adverbials with subjunctive, (See Subjunctive)

Article + *de*-phrase, 36, 224, 262

Article + *que* (*cual*)-phrase, 154–55, 224

Assorted phrases, 161

Auxiliary verb + impersonal *haber*, 138, 167

Commands, 43–44, 151–52, 257

Comparisons, 113–14, 234, 236–37, 263

Conditional tense, 37–41, 67–68, 150, 213–14, 258

Conocer, 17, 23

Contrary-to-fact situation, (See Subjunctive)

Crazy Sentence Model, 269

Cuyo, 183

Dates, 243

Deber, 8, 10, 103, 204–6

Decir
  governing the indicative mood, 81–82
  governing the subjunctive mood, 58–59, 61, 67

Dejar + subjunctive, (See Subjunctive)

Desde hace + time phrase, 112, 216

Dialogue Model, 277

Direction, 264

Direct Object, 12–13, 36, 73–76, 79–80, 82–83, 133, 136, 216, 218

Direct object pronoun, 15, 77, 137–38, 217, 244–45

Donde, 163, 202

Equivalents for "about," "concerning," 162

Equivalents for "come from," "stem from," 203

Estar, 14, 103, 108, 200, 250, 267

Fixed phrases, 210, 261
Future perfect tense, 215
Future tense
  formal future tense, 34–36, 132
  future of probability, 37, 134
  in present tense form, 32
  ir + *a* + infinitive, 33, 130

Gustar, 38–39, 56, 68, 87–90, 139, 213

Haber + *de* + infinitive, 164, 206
Hace + time phrase + *que*, 111–12
Hypothetical situation, (See Subjunctive)

Imperfect tense, 20–27, 147–49, 212,
  253–54
Impersonal phrase, 4, 14, 50
Indefinite antecedents, (See Subjunctive)
Indirect object pronoun, 36, 77–80, 82–83,
  86–87, 140, 159, 160, 218, 220, 244–46
Infinitive phrase, 4, 33, 36, 39, 50, 79, 92,
  94, 102–4, 107, 109, 145, 204
Interrogatives
  ¿cuál?, 114, 243
  interview model, 239
  ¿qué?, 242
Ir + *a* + place, 131

Medical terms, 264
Mini-poem Model, 272

Negative, 35

Object of preposition, 91, 193–94, 223
Occasional verbs
  acabar de, 108
  comenzar (empezar) a, 102
  dar(se) cuenta de, 105
  decidir(se) a, 107
  dejar, 79
  dejar + *de*, 104
  olvidar, 192
  oponer(se) a, 106, 208
  parece, 160
  reír(se) de, 107

se oye + inifinitive, 145
  some verbs, 204, 209
  soñar, 106
  tener, 207
  tener que, 12
  tratar(se) de, 130, 209
  vale más, 235
  ver(se) obligado + *a* + inifinitive, 104
Open-ended sentence model, 118

Para, 11, 91–93, 184–85, 187, 222–23, 247
Parts of body, 116
Past perfect subjunctive, (See Subjunctive)
Past perfect tense, 30–32, 165–66, 255
Past subjunctive (See Subjunctive)
Pensar, 9, 11
Personal *a*, 133
Poder, 7–8, 18, 21, 120
Poner, 15
Por, 94–97, 104, 187–89, 222, 247
Porque-clause, 152
Possession with *de*, 4
Possessive adjective, 156
Predicate nominative, 99, 100
Preference ranking model, 197
Preposition + infinitive verb, 91–92, 110,
  154
Prepositional phrase, 249
Present perfect subjunctive, (See Sub-
  junctive)
Present perfect tense, 30–32, 165–66, 255
Present Progressive tense, 27–29
Present subjunctive, (See Subjunctive)
Present tense, 4–12, 121–25, 250
Preterite tense, 12–20, 26–27, 145–46, 149,
  210–11, 251–52, 254
Progressive verb form (*-ndo*), 29, 42, 109,
  195, 214, 253, 272
Public opinion model, 265

Querer, 10, 25
Quien, 115–16

Reflexive pronoun, 85, 141–43, 221
Reflexive verb, 84–87, 91, 142–44, 221,
  246

Saber, 16–17, 23–24, 74, 210
Ser, 4, 14–15, 38, 99, 120, 163, 200–203
Situation model, 1
Subordinate *que*-clause, 36, 100, 135,
    158–59, 218, 256
Subjunctive
  adverbials, 51–53, 72, 170–74, 226–28,
    258
  contrary-to-fact/hypothetical situations,
    70, 179–81, 231–32, 259–60
  dejar + subjunctive, 66
  indefinite antecedents, 50–51
  present, 45–61, 168–69, 175, 227
  present perfect, 62–64
  past, 65–69, 72, 176–78, 227–30, 233,
    256
  past perfect, 69, 71, 182, 256–57

Superlative, 114, 153, 238
Si-clause, 78, 117

tener, 207
tener que, 12
Three verbs, 29, 109
Two verbs, 7–11, 18, 20, 25, 87–90, 113
    115, 244, 253

Verb phrases, 126–29
Verb + preposition, 190–191, 193–194,
    208

Years, 117